ANÓNIMO

Las Mil y Una Noches

Adaptación de
PALOMA BARBA BERNABEU

tef

Colección «Textos en Español fácil»

SOCIEDAD GENERAL ESPAÑOLA DE LIBRERÍA, S. A.

Colección «Textos en Español fácil»
dirigida por el Prof. Manuel Criado de Val.
Nivel elemental.
Edad: A partir de 11 años.

Primera edición, 1977
Segunda edición, 1987
Tercera edición, 1990
Cuarta edición, 1995

© SGEL, Madrid, 1977

ISBN: 84-7143-129-7
Depósito Legal: M. 14.343-1995

Impreso en España - Printed in Spain

Imprime: Nueva Imprenta, S. A.
Encuaderna: F. Méndez

INTRODUCCIÓN

El libro de *Las Mil y Una Noches* es conocido en todo el mundo y está formado por una larga serie de cuentos y relatos.

Se ha discutido mucho su origen y algunos autores dicen que pertenece a todo el Oriente, otros creen que sólo a la India y a Persia. Los que defienden la idea de que son árabes, se fundan en que los nombres indios y persas que aparecen en los cuentos son producto de la imaginación de los autores. Existen varios datos que confirman esta teoría, como son que las costumbres que aparecen en los cuentos corresponden a los antiguos reyes de Bagdad y El Cairo.

Hay una gran cantidad de versiones. Algunos de los cuentos son muy antiguos y corresponden al siglo XIV. La calidad es también desigual. Es probable que esta diferencia se deba a las distintas épocas y a los diferentes autores que los escribieron.

La primera edición de *Las Mil y Una Noches* fue hecha en Egipto. Sus personajes viven alrededor de los ríos Tigris, Éufrates y Nilo. También los «genios» y los «dioses» tienen su origen en la mitología árabe.

LAS MIL Y UNA NOCHES

Cuentan* que hace mucho tiempo había un rey muy querido de su pueblo* por su bondad e inteligencia. Tenía dos hijos: el mayor* llamado Chariar, heredero* de su padre, y el más pequeño Chacenan.

Después de un largo reinado el rey murió, dejando heredero de su reino a su hijo mayor Chariar. Su hermano, Chacenan, pensó irse del país, pero Chariar no le dejó que lo hiciera. Dividió su reino en dos partes y nombró rey a Chacenan de una de ellas.

Hacía ya diez años que estaban separados los dos hermanos, ocupados en gobernar* sus países, cuando Chariar deseó volver a ver a su hermano menor. Le invitó a pasar unos días con él. Aceptó Chacenan y preparó el viaje al país de su hermano con gran alegría.

Llegó el día de la marcha y, después de despedirse de la reina, su esposa, al llegar a las puertas de la ciudad decidió volver a palacio para abrazar de nuevo a la reina, a la que amaba mucho.

Entró en palacio y fue directamente a las habitaciones de su esposa. Abrió silenciosamente la puerta con el deseo de sorprenderla agradablemente y a la luz de las lámparas vio que había un hombre dormido junto a ella. Se quedó sin poder hablar durante un rato* por la sorpresa y la desesperación, ya que la reina tenía fama de mujer virtuosa*.

Lleno de ira [1], viendo que la reina le engañaba [2] en cuanto se marchaba del palacio, sacó su cuchillo y de un solo golpe cortó la cabeza de los dos amantes. Luego, las tiró al río que pasaba por debajo de la ventana y después de hacer esto, con mucha tristeza volvió a las puertas de la ciudad, donde le esperaban para seguir el viaje al reino de su hermano.

El rey Chariar tenía preparado un hermoso palacio para su hermano, y la alegría de verse después de tantos años separados fue muy grande. Se abrazaron y juntos fueron a cenar. Hablaron durante muchas horas y casi al amanecer* Chariar pensó que su hermano debía estar cansado del viaje y se retiró a sus habitaciones.

El desdichado Chacenan se acostó, pero el recuerdo de la infidelidad* de su esposa y de su cruel muerte no le dejaban dormir. Al día siguiente estaba triste y parecía enfermo. Chariar, al verle, se preocupó y pensaba cuál podía ser el motivo de la tristeza de su hermano.

Chariar, para alegrar y divertir a su hermano, organizó una cacería* de dos días de duración, pero Chacenan, cada vez más triste, no deseaba ir. Así lo comunicó al rey Chariar que, muy preocupado, salió con sus ministros* y amigos hacia el lugar de la cacería.

Mientras, Chacenan, muy triste, paseaba por sus habitaciones y veía por las ventanas el jardín del palacio de su hermano. Allí estaban las habitaciones de la reina y de las mujeres de su servicio. Vio que se abría una pequeña puerta y que por ella salían al jardín veinte mujeres. Miraba al grupo* y con gran sorpresa vio que todas no eran mujeres, ya que había diez hombres disfrazados* de mujeres. Allí estaba también la reina, esposa de su hermano Chariar.

Lleno de curiosidad, el rey observó lo que hacían.

---

[1] Lleno de ira=Con mucha ira, furioso.
[2] le engañaba=tenía relaciones amorosas con otro hombre.

6

Pocos minutos después salió un negro* muy feo que abrazó y besó a la reina. Los otros diez negros también besaban a las mujeres que acompañaban a la reina.

Chacenan pensó que su hermano era tan* desgraciado como él y que debía resignarse*, ya que todas las mujeres eran malas e infieles*.

Cuando Chariar volvió de la cacería, encontró a su hermano más alegre y hablador*. Se sintió feliz y juntos vieron todos los animales que habían cazado. Después, preguntó a su hermano la causa* de su anterior tristeza y por qué no había querido ir con él de cacería. Chacenan le contó la terrible* historia del engaño de su mujer y que había cortado la cabeza a ella y a su amante. Chariar dijo a su hermano:

—¡Qué horrible historia! Ahora comprendo tu tristeza. Me alegro de que hayas sido tú mismo quien haya castigado a esa traidora* mujer. Yo hubiera matado a todas las mujeres de palacio. Pero, ¿qué ha sucedido para que ya estés más alegre?

Chacenan contó a su hermano todo lo que había visto en el jardín de su esposa, la reina, y que esto era la causa de estar menos triste, pues pensó que todas las mujeres eran iguales y que engañaban a sus maridos. Aconsejó a Chariar que se consolara como él y que olvidara a la reina.

Decidieron abandonar sus reinos y marcharse, libres de todas las preocupaciones, pero un día, cuando hablaban de la maldad de sus esposas, vieron acercarse a un hombrecillo* que, viéndoles tan tristes y no sabiendo que eran los dos reyes, les preguntó la causa de su pena. Dijeron que eran muy desgraciados, pues sus esposas les habían engañado.

—Os voy a contar una historia, para que sepáis que todas las mujeres son iguales —dijo el hombrecillo.

«Había en un país un genio*. Un día, mientras andaba por la ciudad, vio que se celebraba una boda*, y al ver a la novia que era muy bella, la raptó*, la metió en una caja y se la llevó a su palacio.

Un día, el genio estaba en un prado* y se tumbó* a descansar. Sacó de la caja a la mujer y era tan bella que asombraba*. El genio le dijo que se sentara a su lado, y al poco rato se quedó dormido.

Estaban allí dos jóvenes príncipes, que se habían subido a un árbol para no ser descubiertos al ver que alguien llegaba.

La bella mujer miró hacia el árbol, y viendo a los dos jóvenes, les dijo que bajaran. Ellos no querían, por miedo al genio, pero la mujer les prometió que nada les ocurriría.

Les llevó de la mano hacia el bosque y allí les pidió que le hicieran el amor. Ellos no pudieron negarse y después les pidió unos anillos de oro que llevaban en el dedo. Tampoco se negaron a este capricho y la joven sacó un montón* de anillos a los que unió los otros dos, mientras decía:

—¿Sabéis lo que representan estos anillos?; cada uno de ellos es un amante, y como tenía noventa y ocho, me faltaban dos para llegar a cien; por eso os he pedido los vuestros. Y a pesar de que el genio me tiene guardada siempre en una caja, ya he encontrado cien ocasiones para burlarme de él, y aunque me encerrase en el fondo del mar, también lo haría. Cuando una mujer piensa hacer algo, no hay marido ni amante capaz de impedirlo*. Mejor sería que los hombres les dejaran hacer lo que quisieran, pues ésta sería la única manera de que fueran buenas y fieles.

Dicho esto, guardó los anillos y volvió al árbol a sentarse junto al genio.

El hombrecillo les preguntó qué les había parecido la historia.

Chariar dijo a su hermano:

—A ti, ¿qué te ha parecido?

—Estoy de acuerdo en que nada iguala a la maldad de las mujeres —dijo Chacenan— y tú estarás de acuerdo conmigo que el genio es más digno de pena [3] y más desgraciado que tú y que yo, así es que volvamos entonces a nuestros reinos.

—Sí, volvamos —contestó su hermano—. Yo ya he encontrado la forma de que mi esposa no me sea infiel. El día que te diga mi secreto, tú harás lo mismo.

Caminaron durante tres días y tres noches, hasta llegar a sus reinos. Cuando llegaron al palacio, el rey fue a la habitación de su esposa y mandó que le cortaran la cabeza, así como a todas las mujeres a su servicio.

Convencido de que no había ninguna mujer de cuya fidelidad pudiera estar seguro, decidió casarse cada noche con una y matarla a la mañana siguiente.

El rey ordenó a su primer ministro que le llevara una joven y a la mañana siguiente mandó que la matara. Así lo hizo con gran cantidad de jóvenes; tenía aterrorizada a la ciudad, sobre todo a aquellas familias que tenían hijas en edad de casarse [4], ya que todas iban a correr la misma suerte [5].

El ministro tenía dos hijas: la mayor se llamaba Scherezade, y Diznarda la más pequeña.

Scherezade era una joven que había leído mucho, era muy inteligente además de ser muy bella. Un día, que estaban los tres juntos, dijo a su padre:

—Padre, quiero pedirte una cosa.

—Yo te la daré si es razonable* —contestó su padre.

—Tengo una idea para poner fin [6] a esa ley del rey de matar a todas sus esposas.

—Me parece que tu intención es buena, pero creo que nada podrás hacer —contestó su padre.

---

[3] digno de pena=que da pena, que merece ser compadecido.
[4] en edad de casarse=con años suficientes para poder casarse.
[5] correr la misma suerte=que les va a ocurrir lo mismo.
[6] poner fin=terminar, acabar.

—Padre, como tú eres el encargado de llevarle cada noche una esposa, te pido que me lleves a mí.

El ministro dijo que no lo haría, pero tanto insistió su hija, que prometió llevarla al rey como esposa, pero antes le explicó todos los peligros que pasaría con esa boda, sin comprender que su hija deseara ir a una muerte segura.

—Ten cuidado, hija mía, no te suceda lo que al asno* —dijo con mucha tristeza—. Vivía muy bien y no estaba contento con su suerte.

—¿Qué le ocurrió a ese asno? —preguntó su hija pequeña, Diznarda.

—Escucha y lo sabrás.

EL ASNO, EL BUEY Y EL LABRADOR*

Un labrador muy rico tenía varias casas de campo con ganado* de todas clases. Vivía en una de las casas con su mujer* y sus hijos y conocía el lenguaje de los animales, aunque esto no podía contárselo a nadie, pues era un secreto.

Tenía en la misma cuadra* un buey y un asno. Un día, mientras veía jugar a sus hijos, oyó que el buey le decía al asno:

—Te miro con envidia* al ver lo poco que trabajas. Un criado te cuida, te lava y te da buena comida y sólo alguna vez llevas a nuestro amo a la ciudad. A mí, sin embargo, me tratan de otra manera. A los doce me atan* al carro* y el labrador no deja de pegarme; luego de comida sólo me dan unas hierbas secas. Ya ves que tengo razón al envidiarte.

El asno escuchó al buey y cuando acabó de hablar le dijo:

—Con razón tienes fama* de tonto tú y los de tu especie*. Si cuando te atan, empezases a mugir* y a dar cornadas*, les asustarías y te dejarían hacer lo que quisieras.

El buey lo pensó y decidió* hacer lo que el asno le había dicho. A la mañana siguiente, cuando el labrador le quiso atar al carro, el buey empezó a darle cornadas. El labrador, que los había oído hablar, mandó que fueran por el asno, que lo ataran al carro, en vez de atar al buey y que lo hicieron trabajar durante todo el día.

Cuando llegó la noche y le llevaron a la cuadra, el buey dijo al asno:

—Tenías razón, mira qué bien estoy ahora.

El asno no contestó, pero pensó:

—«Yo tengo la culpa de lo que me pasa por ser imprudente*. Vivía bien, y como no encuentre alguna solución*, voy a estar toda mi vida tirando* del carro, mientras que el buey se quedará aquí.»

* * *

El ministro dijo a su hija:

—Merecerías* ser tratada como el asno, puesto que quieres evitar* un mal que no tiene solución*, es decir, algo imposible, en lo que perderás la vida [7].

Scherezade no se convenció con las razones de su padre y le dijo que ningún peligro le impediría* hacerlo.

—En ese caso —dijo su padre—, tendré que hacer contigo lo que hizo el labrador con su mujer.

—¿Y qué fue lo que hizo?

—Escucha, que no he terminado la historia.

---

[7] perderás la vida = morirás.

EL GALLO, EL PERRO Y LA MUJER
DEL LABRADOR

El labrador, cuando vio al asno tan cansado, quiso saber lo que iba a pasar entre el buey y él. Acompañado por su mujer, fue a la cuadra y oyó que el asno preguntaba a su compañero qué iba a hacer al día siguiente.

—Haré lo que tú me has dicho —dijo el buey.

—Me parece muy bien —dijo el asno—; pero te diré lo que he oído esta mañana. Dice el amo que estás enfermo, muy flaco* y que te mandará matar.

El buey se asustó mucho.

El labrador, al oírlos, empezó a reír tan fuerte que su mujer le miró asombrada y quiso saber de qué se reía. Pero su marido le dijo que era un secreto y que no se lo podía decir.

—¡Quiero saberlo! —dijo la mujer.

—No te lo puedo decir, es una cosa que ha dicho el asno al buey, pero si te lo digo moriré.

—Eso no es verdad. Te estás burlando* de mí y si no me lo dices me separaré de ti para siempre.

La mujer entró en su casa y estuvo llorando toda la noche. Todo lo que decía su marido era inútil, pues la mujer seguía llorando y el labrador no sabía qué hacer.

Tenía en la casa cincuenta gallinas, un gallo y un perro que guardaba la casa.

Estaba el pobre* hombre sentado en la puerta, pensando sobre su mala suerte*, cuando oyó que el perro regañaba* al gallo porque cantaba.

—Debes saber —dijo el perro— que nuestro amo está hoy muy triste. Su mujer quiere saber un secreto que le costaría la vida. Es fácil que muera, porque acabará diciéndolo. Todos están tristes en la casa, menos tú, que te dedicas a cantar.

—Nuestro amo puede arreglar esto fácilmente —dijo el gallo—; que se meta en una habitación cerrada con su mujer y que le dé con una vara* de fresno* y ya no querrá saber el secreto. Si nuestro amo no lo hace tendrá la culpa de su muerte.

Cuando el labrador oyó estas palabras, fue a buscar la vara, y pegó a su mujer con ella hasta que ya no quiso saber nada sobre el secreto. Entonces, soltó a su mujer y toda la familia felicitó al labrador por haber encontrado un remedio para convencer a su esposa.»

* * *

—Hija mía —dijo el ministro—, tú te mereces que te trate de la misma forma.

—Padre —dijo Scherezade—, ninguna historia me hará dejar de cumplir lo que ya tenga decidido. Yo también te podría contar muchas historias para convencerte.

Su padre, muy triste, fue a ver al rey para ofrecerle a su hija por esposa.

—Señor —dijo—, ella misma desea venir y dice que la muerte no le asusta.

Quedó muy asombrado el rey y dijo:

—Mañana tendrás que matarla como a todas y si no lo haces, lo haré yo.

El primer ministro fue a buscar a su hija, pues el rey estaba esperándola. Scherezade, antes de salir de su casa, dijo a su hermana, Diznarda:

—Querida hermana, quiero que me ayudes en algo muy importante. Voy a casarme con el rey y cuando llegue al palacio y sea de noche le pediré al rey que te deje dormir en la habitación que esté al lado. Así, tú podrás despertarme una hora antes de que sea de día y me dirás: «Hermana mía, si no duermes, te pido que me cuentes uno de esos maravillosos cuentos que tú sabes hasta que sea de día.» Yo te contaré uno y así, creo que podré salvar a todas las jóvenes de morir por orden del rey.

Diznarda dijo que lo haría. Entonces el ministro llevó a su hija al palacio y se fue de allí lleno de dolor [8].

El rey Chariar mandó a Scherezade que se quitase el velo* de la cara; ella obedeció y el rey vio que tenía los ojos llenos de lágrimas.

—¿Por qué lloras? —le preguntó.

—Señor, tengo una hermana a quien quiero mucho y me gustaría, si no te parece mal, que pase la noche [9] en palacio, en la habitación que está aquí al lado. De esa manera, antes de morir, me podré despedir de ella.

Al rey no le pareció mal y ordenó que fueran por ella y preparasen la habitación como había pedido su esposa.

Una hora antes de hacerse de día, se levantó Diznarda, fue a la habitación de los esposos y dijo a su hermana lo que ella le había mandado decir. Scherezade, en vez de contestar directamente a Diznarda, se dirigió al rey y le dijo:

—Señor, te pido que me des permiso antes de morir para contarle un cuento a mi hermana, pues todavía falta una hora.

El rey estaba muy asombrado, pero dijo que sí, con la condición de escuchar él también el cuento.

Scherezade comenzó la historia siguiente:

HISTORIA DE SIMBAD EL MARINO

Hace muchos años vivía en Bagdad* un muchacho que se llamaba Himbad. Un día, cansado del bulto tan pesado* que llevaba sobre la espalda, se paró* en una calle muy estrecha*. Se sentó al lado de una gran casa

---

[8] lleno de dolor=con mucho dolor.
[9] que pase la noche=que duerma.

en la que estaban celebrando* una fiesta, pues Himbad oía la música y la alegría de las personas que estaban allí. El muchacho quiso enterarse de lo que pasaba y preguntó a un criado de quién era aquella casa.

—¿Es posible que no sepas que aquí vive Simbad el Marino, ese famoso viajero que ha recorrido todos los mares* del mundo?

El muchacho recordó haber oído hablar de él, así como de sus grandes riquezas, y no pudo evitar el compararse con él [10]. Mientras pensaba en esto con tristeza, salió un criado de Simbad el Marino que le dijo:

—Mi amo quiere hablarte.

Llevó al asombrado Himbad a un gran salón* donde había varias* personas alrededor* de una mesa llena de comida. En el sitio de honor [11] estaba sentado un hombre de aspecto noble* y respetable*, de larga barba blanca. Era Simbad el Marino, que, al ver el asombro del muchacho, se acercó a él y le sirvió de aquellas ricas* comidas y le dio de beber, tratándole como a un hermano, según era costumbre entre los árabes*.

Cuando terminó de comer, Simbad el Marino dijo al muchacho que desde la ventana había oído cómo su criado le contaba que tenía grandes riquezas, pero quería contarle que para llegar a tener toda esa fortuna* había sufrido muchos trabajos y sacrificios*.

—Sí, señores —continuó Simbad—; he sufrido mucho durante años y los peligros que he pasado en los siete viajes que he hecho son increíbles*. Voy a contaros mi historia para que te sirva de ejemplo [12], Himbad. ya que te quejabas* de tu pobreza.

* * *

---

[10] compararse con él = se refiere a que él era muy pobre y Simbad muy rico.

[11] sitio de honor = lugar donde se sienta el invitado de mayor categoría o edad.

[12] que te sirva de ejemplo = que sirva de modelo, digno de ser imitado.

—Señor, ya veo amanecer —dijo Scherezade.

El rey Chariar se levantó y se fue con sus ministros, decidido a oír al día siguiente el primer viaje de Simbad el Marino.

PRIMER VIAJE DE SIMBAD EL MARINO

En mi juventud heredé una gran fortuna y la gasté en lujos* y placeres*, sin pensar en lo poco que duran las cosas de este mundo [13] ni en la necesidad de guardar algo para la vejez. Pero llegó un día en que empecé a pensar y decidí reunir* todo el dinero que me quedaba. Salí de Basora* con algunos comerciantes* en un buen barco.

Estuvimos en muchos países, comprando y vendiendo mercancías. Una mañana visitamos una isla*, que parecía un prado de lo verde que era. Desembarcamos* cuatro pasajeros* para comer y beber y, de repente*, cuando estábamos comiendo, empezó a temblar* la isla. Nos dijeron desde el barco que no estábamos en una isla, sino encima del vientre* de una ballena*. Cada uno [14] se salvó como pudo, unos nadando y otros en la barca* en la que habíamos llegado hasta allí. Yo me quedé solo encima de aquel horrible* animal, que poco a poco [15] se iba hundiendo* en el mar. Me agarré* a un pedazo* de madera y vi con horror* que el barco se marchaba, dejándome solo, pues creían que yo estaba muerto.

Estuve durante dos días en el mar, aterrorizado, hasta que las olas me dejaron en la playa* de una isla muy bella, donde bebí agua de un río que encontré. Al lado

---

[13] lo poco que duran las cosas del mundo = que todas las personas tienen que morir, que todo tiene fin.

[14] Cada uno = Cada persona.

[15] poco a poco = lentamente, despacio.

había unos árboles con fruta, de la que comí; descansé unas horas y luego estuve andando hasta que encontré un prado, donde había una yegua* atada a un árbol. Me acerqué a ella para verla mejor y, mientras lo hacía, se abrió la tierra y salió un hombre que me preguntó quién era yo. Le conté lo que me había pasado y entonces me tomó de la mano. Me llevó a una cueva*, donde había varios hombres más, y nos dijeron que estaban al servicio del rey de aquella isla y que iban a aquel prado todos los años a llevar a la yegua del rey para que comiera.

Al día siguiente fui con ellos a la ciudad y el rey me recibió muy bien [16]. Ordenó que me dieran de comer y que no me faltase de nada.

Un día entró un barco en el puerto y empezó a descargar mercancías. Vi con alegría que allí estaban las mías y entonces me di cuenta [17] de que el barco aquel era el mío. Pregunté al capitán de quién eran aquellas mercancías que llevaba y me respondió:

—Venía en el barco un comerciante de Bagdad* llamado Simbad, que desembarcó con cuatro hombres en una ballena dormida creyendo que era una isla. Los hombres encendieron* fuego encima de la ballena, que llena de dolor se hundió en el agua. Todos los hombres pudieron salvarse menos Simbad, cuyas mercancías traigo aquí para venderlas y después dar el dinero a su familia.

—Capitán —le dije—, yo soy Simbad, y las mercancías son mías.

Le conté todo lo que me había pasado, pero no quiso creerme. Pensó que era un ladrón que quería quedarme con todo, hasta que desembarcaron varias personas que me conocían. El capitán me pidió perdón y dio gracias a Dios por haberme salvado.

---

[16] me recibió muy bien=con cariño, con amabilidad.
[17] me di cuenta=lo comprendí en seguida.

Hice varios regalos al rey con lo mejor que llevaba y él me dio otros aún de más valor*. Después me embarqué llevando gran cantidad de frutas de la isla.

Llegué, por fin, a Basora, y con lo que llevaba compré tierras, esclavos* y una casa muy grande para quedarme allí y olvidar los peligros que había pasado.

Simbad se detuvo al llegar aquí, sirvió de beber a sus invitados* y dio una bolsa de cien monedas al muchacho.

—Toma y vuelve mañana a oír el resto* de mis aventuras.

Con mucha alegría, Himbad dio el dinero a su familia, y al día siguiente volvió a casa de Simbad el Marino. Comieron y, al terminar la comida, empezó su segundo viaje.

* * *

Scherezade, al ver que ya era de día, dijo al rey, su esposo:

—Señor, si me permites, seguiré luego contando el segundo viaje de Simbad el Marino, pero tienes que esperar para poderme cortar la cabeza.

El rey dijo que esperaría, pues tenía curiosidad por conocer la historia completa de Simbad.

Por la noche, otra vez, Diznarda despertó a su hermana y al rey. Scherezade entonces contó el segundo viaje de Simbad el Marino.

SEGUNDO VIAJE DE SIMBAD EL MARINO

Deseaba pasar con tranquilidad lo que me quedaba de vida [18], en Bagdad, pero pronto me cansé de aquella vida sin hacer nada y sentí grandes deseos de na-

---

[18] lo que me quedaba de vida=hasta que muriera.

vegar otra vez. Entonces, empecé mi segundo viaje en compañía de otros comerciantes.

Un día desembarqué con otros compañeros en una isla y, mientras ellos se entretenían en coger frutas, yo me llevé los alimentos que tenía y me senté debajo de un árbol.

Comí y después me quedé dormido. Cuando desperté, busqué a mis compañeros, pero vi que se habían ido dejándome allí solo. Estaba triste y desesperado, pero pensé que era la voluntad de Dios [19] el que se hubieran olvidado de mí.

Sin saber qué hacer, me subí a un árbol y miré por todos los lados. Sólo veía agua y cielo, pero al mirar hacia la isla vi algo blanco. Bajé del árbol, cogí todas mis cosas y fui a ver qué era aquello. Cuando estuve cerca creí que era un globo* de gran tamaño*. Me acerqué más para ver si estaba abierto, pero estaba cerrado.

Era ya al atardecer* y estaba oscureciendo*. De repente, el cielo parecía que estaba nublado*; levanté la cabeza y vi un pájaro enorme* que venía hacia mí.

Recordé entonces que había un ave muy grande, llamada Roc*, de la que había oído hablar a los marineros. Me di cuenta de que aquel globo blanco era un huevo* de aquel pájaro. Al ver que venía, me quedé pegado* al huevo; el pájaro extendió sus alas sobre el huevo y vi que sus garras* eran enormes. Rápido* me quite el turbante* y con él me até a sus garras para que cuando el pájaro empezase a volar me llevara lejos de aquella isla solitaria.

Así fue y pasé toda la noche atado al pájaro volando. Cuando salió el sol, subió hasta las nubes, tan alto que no se veía la tierra. Después, bajó con tal rapidez que yo casi no me daba cuenta.

---

[19] voluntad de Dios = aceptar las cosas pensando que es Dios quien las envía.

Nada más tocar con el pie en la tierra, me desaté de las garras del pájaro, que había tomado con su pico* una gran serpiente* que se llevó volando. Yo me quedé allí, en aquel lugar desconocido.

Miré a mi alrededor y vi que estaba en un valle* muy profundo*, rodeado de montañas muy altas que parecían como una muralla*. El suelo estaba lleno de diamantes* y los árboles llenos de serpientes tan monstruosas* que la más pequeña podía comerse a un elefante*.

Llegó la noche y tuve mucho miedo. Me metí en una cueva y tapé la entrada* con piedras para defenderme de las serpientes, que lanzaban horribles silbidos* por no poder entrar en la cueva. Al amanecer se marcharon y pude dormir durante algunas horas.

Desperté al oír el ruido que hacían grandes pedazos de carne que tiraban desde lo alto de las montañas. Yo sabía que los comerciantes de diamantes iban a aquel valle cuando las águilas* tienen sus crías* y que entonces echaban trozos de carne, que al caer encima de los diamantes, se pegaban. Luego, las águilas bajaban al valle a coger la carne, se la llevaban a sus hijos arriba, a la cima de la montaña, y entonces los comerciantes cogían los diamantes, pues era imposible bajar al valle.

Me di cuenta de que estaba como encerrado en una tumba* y que nunca podría salir de aquel profundo valle. Me guardé muchos diamantes en los bolsillos y me até al pedazo más grande que había de carne. Llegaron las águilas en busca de carne y la más grande cogió el pedazo donde yo estaba atado. Así me llevó a lo alto de la montaña.

Los comerciantes se asombraron mucho de verme allí y se enfadaron creyendo que yo quería quitarles los diamantes. Les dije todo lo que me había ocurrido y, además, les di algunos de los diamantes que yo llevaba, que eran muy grandes y de gran valor.

Después de andar durante mucho tiempo, llegamos a una isla donde está el árbol de alcanfor*, que es tan grande que puede dar sombra* a más de cien hombres.

Por fin llegué a Bagdad, más rico* que antes, con los diamantes que llevaba, y mandé dar a los pobres de la ciudad una limosna.

Simbad terminó así la segunda historia. Dio de nuevo a Himbad una bolsa con cien monedas y el muchacho volvió con los demás invitados al día siguiente para escuchar al anciano Simbad su tercer viaje.

* * *

Scherezade vio que todavía no era de día y preguntó a su esposo:

—Señor, ¿deseas que cuente el tercer viaje de Simbad, donde le atacó un monstruo*?

—Sí, te lo ruego —dijo el rey, que estaba muy interesado escuchando a su esposa.

Entonces Scherezade comenzó así su nueva historia:

TERCER VIAJE DE SIMBAD EL MARINO

La vida, sin hacer nada, me aburría —dijo Simbad— y, como tenía pocos años [20], me fui de Bagdad otra vez hacia países desconocidos.

Estábamos en alta* mar [21] cuando una fuerte tormenta* nos arrojó a las playas de una isla que, según nos dijo el capitán, estaba habitada por salvajes que nos atacarían* y, aunque todos eran enanos*, no los venceríamos porque eran muchos más que nosotros. Y así fue; un gran número de hombrecillos empeza-

---

[20] tenía pocos años=debido a mi juventud, que era muy joven.
[21] alta mar=lejos de la costa, donde el mar es más profundo.

ron a acercarse al barco, se subieron por todas partes con mucha rapidez y hablando en un idioma que ninguno de nosotros entendía, nos obligaron a desembarcar, llevándose el barco a otra isla.

Tristes y desesperados*, empezamos a andar hasta que llegamos a un gran palacio. Al entrar, nos quedamos muy asustados, pues estaba todo el suelo lleno de huesos* y trozos de cuerpos humanos*. La puerta de la habitación donde estábamos se abrió de repente y apareció un hombre horrible y muy alto. Tenía sólo un ojo en medio de la frente, los dientes afilados* como si fuera un animal salvaje, las orejas le caían* sobre los hombros y las uñas parecían garras.

Me cogió por la cintura* con la misma facilidad que a una pluma [22], pero al verme tan delgado me soltó. Miró a todos mis compañeros para ver quién era el más gordo* y se llevó al capitán. Encendió un fuego, puso al pobre capitán allí y después se lo comió, quedándose dormido en seguida.

Nos pareció tan horrible nuestra suerte* que muchos de mis compañeros querían tirarse al mar antes que morir comidos por aquel monstruo.

—La religión nos prohíbe quitarnos la vida con nuestras manos [23] —dijo uno de los marineros—. ¿No es mejor que matemos nosotros al monstruo?

A todos nos pareció muy bien la idea* y yo les propuse que fuéramos a la playa por madera, que hiciéramos un barco con ella y poder huir* después de matar al monstruo.

Cuando estuvo acabado* el barco, volvimos al palacio una noche y otra vez el monstruo se llevó a uno de nuestros compañeross, al que se comió. Pero aquella

___

[22] que una pluma=con tan poco peso como una pluma, que pesa poco.

[23] con nuestras manos=quitarse la vida uno mismo, suicidarse, matarse.

misma noche nos vengamos* de él, pues entre todos llevábamos un palo* muy largo, con la punta afilada, y mientras dormía se lo clavamos* en el único* ojo que tenía. El monstruo daba grandes gritos y nosotros salimos corriendo hacia la playa para meternos en el barco y salir huyendo, pero a los gritos del monstruo salieron los enanos que nos habían hecho desembarcar en aquella isla. Esta vez no pudieron vencernos, pues ya estábamos dentro del barco y navegando.

Cuando llegué a Bagdad no llevaba muchas riquezas, como otras veces, pero llevaba algo de mucho valor: la vida.

Así terminó Simbad la historia de su tercer viaje. Otra vez dio cien monedas a Himbad y le pidió a él y a sus invitados que volvieran al día siguiente para escuchar su cuarto viaje.

* * *

—Señor —dijo Scherezade—, ya es de día, pero si esperas un poco más para matarme, podría seguir contando los viajes de Simbad. En el próximo viaje unos negros* les dieron a él y a sus compañeros unas hierbas* para que se quedaran dormidos.

El rey, su esposo, dijo que sí, que esperaría, porque deseaba saber qué había ocurrido a Simbad con aquellas hierbas. Se vistió y se fue con sus ministros.

Diznarda prometió a su hermana, Scherezade, que volvería a despertarles a la noche siguiente. Así lo hizo y Scherezade comenzó el cuarto viaje de Simbad.

CUARTO VIAJE DE SIMBAD EL MARINO

El cuarto viaje —dijo Simbad— fue a Persia, con tan mala suerte, al principio*, que una gran tormenta rompió nuestro barco, destrozó las mercancías que llevábamos y sólo seis hombres pudimos salvarnos.

Llegamos a una isla llena de negros que se acercaron y nos dieron unas hierbas para comer. Teníamos tanta hambre que todos comieron de las hierbas, pero yo, pensando que eran venenosas, no quise comerlas.

Mis compañeros se quedaron dormidos, y todos aquellos negros, que eran antropófagos*, empezaron a comérselos uno a uno [24]. Yo salí corriendo sin saber dónde ir.

Al séptimo día de estar andando por la isla llegué a la orilla del mar, donde vi algunos hombres blancos, como yo, que estaban cogiendo frutas de los árboles. Les conté mi aventura y me embarqué con ellos hasta la isla donde vivían. Allí me presentaron a su rey, que era un hombre muy bueno.

Estaba allí tan bien [25] y el rey me quería tanto, que en vez de considerarme un extranjero* era su favorito* y me hablaba de todos sus asuntos.

Todos los hombres de aquel reino montaban a caballo sin silla*, ni estribos*, porque no conocían su existencia. Yo los mandé hacer y creyeron que era un invento* mío. Entonces me hicieron grandes regalos por mi inteligencia y sabiduría.

—Simbad —me dijo un día el rey—, yo te quiero mucho y deseo que todas las personas de mi reino te conozcan y te quieran como yo. Te pido que te cases aquí y que no vuelvas a tu país.

Yo no pude negarme a su deseo y me casé con una joven de su reino, muy bella, inteligente y rica.

Vivía en casa de mi esposa*, con la que estuve du-

---

[24] uno a uno = uno detrás de otro.
[25] tan bien = tan a gusto, tan feliz.

rante bastante tiempo muy feliz, hasta que una vez la mujer* de un vecino* se puso enferma. Como era muy amigo mío, no me separé de su lado hasta que aquella mujer murió.

Mi amigo y vecino lloraba y parecía que se iba a morir de pena. Yo, para consolarle*, le dije:

—Amigo mío, da gracias a Dios de estar con vida y pídele que te dure muchos años y así poder pensar y llorar a tu esposa.

—¿Cómo puedo consolarme si sólo me queda una hora de vida? —contestó mi amigo.

—¿Por qué piensas eso? —dije yo asombrado—. Eres joven y fuerte y tienes buena salud*.

—De todas formas, moriré, pues dentro de una hora, cuando vengan por mi esposa para enterrarla, me enterrarán* con ella. Aquí es costumbre* que el marido* vaya a la tumba* con su mujer, enterrándole vivo —me explicó mi amigo.

Esto me horrorizó y me dio mucha pena de mi amigo. Poco después, la casa se llenó de gente que lloraba. Pusieron a la muerta ricos* vestidos y todas sus joyas* y fueron todos a lo alto de una montaña. Mi amigo iba delante de todos también llorando.

Entraron en una cueva muy oscura y dejaron el cadáver* allí con un poco de agua y algunos panes*. Cuando hicieron esto, el marido, mi amigo, empezó a despedirse de todos y se metió en la cueva, que cerraron con una gran piedra.

Al día siguiente fui a ver al rey y le dije:

—Señor, estoy muy asombrado de la costumbre que existe en tu país de enterrar a los vivos con los muertos y espero que esa ley no sea también para los extranjeros como yo.

—Sí que lo es —contestó el rey.

Volví a mi casa lleno de miedo. Siempre estaba pensando en que mi mujer podría morir antes que yo y temblaba* cada vez que ella estaba un poco enferma.

Un día mi esposa enfermó y a los pocos días murió. El rey, acompañado de muchas personas, me llevó a otra cueva con el cadáver de mi esposa, igual que habían hecho con mi amigo.

Me despedí llorando y cuando cerraron la cueva, con la poca luz que había, me vi rodeado de muertos. Pasaron algunas horas y comí algo de los pocos alimentos* que allí había. Así pasé algunos días y, cuando se terminaron, pensé que iba a morir.

Estaba desesperado cuando vi que levantaban la piedra que tapaba la entrada de la cueva y metían el cadáver de un hombre y a su mujer viva. Me acerqué silenciosamente* y con un hueso le di un golpe en la cabeza.

Con los nuevos alimentos que había traído aquella mujer pude vivir aún varios días más. Tuve la suerte de que muriera mucha gente, pues cada vez que abrían la cueva y entraba un nuevo cadáver yo hacía lo mismo: golpeaba a su acompañante y comía sus alimentos. Así pude vivir bastante tiempo dentro de aquella cueva.

Un día vi un pájaro que había entrado en la cueva a comerse los restos de la comida. Me asusté, pero pensé que si encontraba el sitio por donde había entrado, yo también podría salir. Vi una pequeña claridad que parecía una estrella. Fui hasta donde veía la luz y vi un pequeño agujero, por donde salí.

Lleno de alegría, llegué a la orilla del mar y después de descansar volví a la cueva. Cogí todas las joyas y los ricos vestidos que llevaban puestos los muertos, pues a ellos ya no les iban a servir para nada [26], y salí otra vez hacia el mar.

Me quedé en la orilla y al tercer día vi pasar un barco.

---

[26] no les iba a servir ya para nada=no lo iban a poder usar, debido a que estaban muertos.

Hice señales* con mi turbante y gritaba con todas mis fuerzas para que me oyeran. Tuve suerte y el capitán me oyó, enviando una barca para recogerme. Contesté a todas sus preguntas y le quise regalar algunas de las joyas que llevaba, pero al saber que yo había perdido todas mis mercancías en la tormenta, no quiso aceptarlas.

Pasamos por muchas islas y llegué felizmente a Bagdad, con una gran fortuna y dispuesto a no hacer más viajes.

—Señor —dijo Scherezade—, es pronto todavía, ¿quieres que cuente el quinto viaje de Simbad?

—Sí —contestó el rey—, continúa.

Scherezade comenzó de nuevo otro viaje de Simbad.

QUINTO VIAJE DE SIMBAD EL MARINO

Los placeres* no me hicieron olvidar todos los sufrimientos que había pasado en mi último viaje, pero tampoco había perdido el deseo de tener aventuras, así es que, cuando pasó algún tiempo y descansé, compré bastantes mercancías, las puse en un carro y me fui al puerto más cercano. Compré un barco y cuando el viento fue favorable salimos al mar.

Después de estar mucho tiempo navegando, vimos una isla desierta, en la que encontramos un huevo de un pájaro tan grande como aquel otro que se llamaba Roc. Un pollo* estaba a punto de salir del huevo y los comerciantes que habían desembarcado conmigo lo terminaron de romper a golpes. Sacaron al pollo y se lo comieron alegremente después de asarlo.

Poco después de haber comido, vimos que el cielo empezaba a oscurecerse y el capitán del barco nos dijo que aquella oscuridad la hacían los padres del pollo muerto que venían a por su hijo. Nos ordenó volver inmediatamente al barco si queríamos salvar la vida.

Los dos enormes pájaros volaban sobre nuestras cabezas, pero, de repente, se alejaron cuando ya nos creíamos muertos [27]. Poco duró nuestra alegría, pues volvieron en seguida llevando en sus picos dos enormes rocas. Tiraron una sobre el barco, pero la habilidad del capitán evitó que cayera encima. Por desgracia*, el otro pájaro tiró la roca que llevaba y dio en medio del barco que se hundió con todos los que habíamos logrado embarcar.

Yo pude salir del agua agarrándome a una madera, y así llegué hasta otra isla. Me senté sobre la tierra mientras pensaba qué podía hacer para salir de allí. De pronto, vi, sentado a la orilla de un río que estaba cerca, a un anciano que parecía estar enfermo. Creí que le habría sucedido lo que a mí y me acerqué a él.

—¿Qué hace aquí? —le pregunté.

Pero en vez de contestarme, me hizo señas [28] para que le subiese sobre mis hombros* y así pasar el río. Le subí sobre mi espalda y cuando estuve en la otra orilla del río y quise bajarle, puso sus manos en mi cuello* con tanta fuerza que casi* me ahoga*. Después me soltó, pero me golpeó en el pecho y me obligó a seguir mi camino con él sobre los hombros, haciendo que me parase de vez en cuando [29] para que él comiera fruta de los árboles.

Llegó la noche y pensé que se bajaría, pero siguió montado sobre mis espaldas. Así estuve durante algunos días hasta que encontré una calabaza* seca* y unos racimos* de uvas. Pensé que tenía que librarme de aquel

---

[27] creerse muerto=pensar que te van a matar en ese momento, en el momento de mayor peligro.

[28] me hizo señas=decir sin palabras por medio de gestos.

[29] de vez en cuando=pasado un rato, de tiempo en tiempo.

maldito anciano y eché el zumo* de las uvas en la calabaza.

Pasaron algunos días y cuando el zumo de las uvas se convirtió en vino, se lo di a beber al viejo. Se emborrachó y cayó al suelo sin poder levantarse. Entonces cogí una piedra y se la tiré a la cabeza.

Salí corriendo y muy contento fui hacia la playa, donde encontré un barco que había ido allí a buscar agua. Sus marineros, al saber mis desgracias, me llevaron con ellos, pero antes me llevé gran cantidad de frutas para poderlas vender.

Llegamos a otra isla y allí cambié las frutas que llevaba por perlas y maderas de mucho valor. Así volví de nuevo a mi casa, con mucho dinero pero muy cansado.

Pasó el tiempo y ya había olvidado todos los sufrimientos pasados, así es que preparé otro viaje.

* * *

—Señor, Simbad, hizo siete viajes, ¿deseas que siga contando el sexto? —dijo Scherezade.

—Sí —contestó el rey.

—Seguiré luego, señor, cuando vuelvas.

Diznarda, como las noches anteriores, despertó a su hermana para que pudiera contar al rey el sexto viaje de Simbad.

SEXTO VIAJE DE SIMBAD EL MARINO

A pesar de los sufrimientos pasados en mis viajes y los ruegos de mis amigos, no pude evitar el deseo de volver a viajar. Esta vez fui hacia la India, preparado para un largo viaje.

Al poco tiempo de salir nos perdimos en el mar; el capitán del barco nos dijo que íbamos arrastrados por una gran corriente* y que chocaríamos contra las rocas. Nos pusimos a rezar* y a los pocos minutos chocamos, aunque logramos desembarcar con todas nuestras mercancías. El capitán nos dijo:

—Ahora estamos peor que antes, pues nadie* hasta ahora ha podido salir de aquí con vida.

Así debía ser, pues estaba todo aquel sitio lleno [30] de huesos humanos.

Las rocas de aquella montaña eran de cristal y rubíes* y de otras piedras de gran valor. Estábamos muy cansados y con miedo, así es que nos quedamos en la playa comiendo los pocos alimentos que aún nos quedaban.

Pasaron unos días y se nos terminó toda la comida. Llegó el hambre [31] y más tarde la muerte, que se llevó uno por uno a todos mis compañeros, quedándome yo solo. Dios tuvo pena de mí y llegué a la entrada de una cueva por donde corría un río con mucha agua.

[30] estaba todo lleno=había mucho, una gran cantidad.
[31] Llegó el hambre=Que no tenían ya nada que comer.

Pensé que si seguía por donde iba el río, podría llegar a tierras habitadas*.

Empecé a construir una barca* y cuando la terminé metí en ella muchas telas y piedras preciosas que tenía. Subí a la barca y no sé cuánto tiempo estuve navegando por el río, pues me dormí, con un sueño tan pesado* que parecía iba a estar durmiendo toda la vida.

Al despertar, me encontré rodeado de muchos negros, que hablaban una lengua* que yo no entendía. Uno de ellos era árabe y me dijo:

—Hermano mío [32], no te asombres de vernos, pues vivimos aquí. Hemos venido por agua y te hemos visto dormido en la barca. Hemos esperado hasta que te has despertado para saber qué te ha pasado.

Les conté todo lo que me había ocurrido y les pareció tan asombroso que quisieron que lo escuchara su rey.

Subido en un caballo que me dieron, llegué a la ciudad de Serendib* donde estaba su rey, que me recibió muy bien y escuchó con interés mis aventuras. Las hizo escribir en letras de oro para guardarlas en la biblioteca* del reino. También le enseñé las piedras preciosas que llevaba. Quise regalarle algunas, pero no las aceptó y me dijo que él me regalaría más para aumentar* mis riquezas.

En esta isla, los días y las noches tienen la misma duración*; tiene frutas muy buenas, perlas y también está allí la altísima montaña adonde fue Adán* cuando Dios le echó del Paraíso Terrenal*.

Pedí al rey que me permitiera volver a mi país; me dijo que sí, y cuando fui a despedirme de él me regaló muchas riquezas como me había prometido. Me dio una copa hecha con un gran rubí, llena de perlas; una piel* de serpiente que evitaba las enfermedades a la

---

32 Hermano mío = Amigo mío (costumbre árabe).

persona que se acostaba sobre ella; maderas y alcanfor. También me dio a una bellísima esclava, cuyos vestidos estaban llenos de piedras preciosas.

Con todo esto me embarqué, llegué a mi país y me retiré a mi casa a vivir con tranquilidad.

* * *

Scherezade con estas palabras puso fin por aquella noche a su historia, aunque prometió a su esposo contarle el séptimo y último viaje de Simbad.

Cuando llegó la noche y antes de amanecer, Diznarda despertó a Scherezade que con mucho cariño llamó a su esposo, el rey, y empezó su historia.

SÉPTIMO Y ÚLTIMO VIAJE DE SIMBAD EL MARINO

Cuando regresé de mi sexto viaje —dijo Simbad a sus invitados y a Himbad, que le escuchaba con mucha atención—, pensé no volver nunca más a embarcarme, pero un día que daba una fiesta a varios amigos míos, me dijeron que un criado del rey deseaba verme.

Llegué al palacio y me puse a los pies del rey [33].

—Simbad —me dijo—, necesito que me ayudes a llevar unos regalos al rey de Serendib. Yo sé que tú has estado en esa isla y que podrás llegar.

Me entristeció mucho su petición, pues allí había sufrido tanto que no podía olvidarlo y, además, estaba cansado de viajar. Sin embargo, no podía decirle que no al rey, y a los pocos días ya estaba preparado para embarcarme de nuevo.

Llevaba grandes regalos para el rey de Serendib y, como el viaje fue muy bueno, llegué pronto. Allí pedí

---

[33] me puse a sus pies=me arrodillé.

al ministro del rey que me dejara verle, y cuando el rey me recibió se alegró mucho de verme y en seguida me reconoció.

—Bendigo* este día porque te he vuelto a ver —me dijo.

Yo agradecí mucho sus palabras y le entregué la carta que me había dado mi rey para él. También le entregué los regalos que traía. Se alegró mucho de aquellas pruebas de amistad y cuando me fui de allí iba cargado de regalos.

Me embarqué de nuevo con el deseo de volver cuanto antes [34] a mi país, pero no pudo ser y tardé mucho más de lo que yo esperaba y deseaba.

A los cuatro días de estar en el mar fuimos atacados por unos piratas*, que mataron a los pocos hombres que lucharon contra ellos. Vendieron a todos los hombres como esclavos en una isla que yo no conocía.

A mí me vendieron a un militar que me preguntó si sabía trabajar en algo. Le dije que sí, que mi profesión* era el comercio y que los piratas se habían llevado todo lo que tenía.

—¿Sabes usar el arco* y las flechas?

—Sí —respondí.

Entonces me dio un arco y flechas y me llevó a un bosque* para que desde un árbol cazara elefantes.

Allí me dejó solo, hasta que al amanecer del día siguiente aparecieron muchos elefantes y tuve la suerte de matar a uno de los más hermosos. En seguida llamé a mi amo*, y juntos enterramos al elefante, para más tarde sacarle los colmillos* y venderlos.

Estuve dedicado a la caza durante dos meses y todos los días mataba a uno o dos elefantes, con gran alegría de mi amo. Una tarde, los elefantes, en vez de pasar por debajo del árbol en el que yo estaba subido, se detuvieron y, con un ruido horrible, uno de ellos, el ma-

---

[34] cuanto antes=lo más pronto posible, con gran rapidez.

yor* de todos, tiró el árbol con su trompa*. En seguida me subió sobre su espalda y me paseó entre los otros animales. Luego me hizo bajarme; se fueron todos dejándome muy asombrado, pues pensé que me iban a matar.

Estaba en una montaña llena de colmillos de elefantes y me di cuenta de que me habían llevado hasta allí para que dejara de perseguirlos*.

Terminó Simbad diciendo al joven Himbad que no volviera a lamentarse* de su pobreza, porque los hombres más felices no tienen grandes fortunas.

Simbad le dio al muchacho mil monedas de oro y fue un gran amigo suyo, para que recordase siempre las aventuras llenas de peligros de Simbad el Marino.

* * *

Terminada la historia de Simbad, la reina Scherezade, al ver que ya era de día, dijo al rey:

—Señor, te contaré la historia de Zobeida, que te parecerá mucho más entretenida*.

El rey prometió escuchar la historia a la noche siguiente.

Scherezade empezó un nuevo cuento cuando su hermana les despertó.

HISTORIA DE ZOBEIDA

Una noche, iba un rey, llamado Harun el Justo*, acompañado por su primer ministro, disfrazados de comerciantes para poder saber qué ocurría en la ciudad al llegar la noche.

Cuando estaban cerca de la puerta de un palacio, oyeron una música muy bella. El rey quiso saber el motivo de aquella fiesta y envió a su ministro a llamar a aquella puerta. Salió a abrir una bella joven, llamada Amina. El rey al ver su belleza se inclinó* para saludarla.

—Señora, somos dos comerciantes de la ciudad de Mosul*, que hemos llegado a la ciudad hace poco tiempo, y entretenidos paseando por las calles, no nos hemos dado cuenta de que era ya tan tarde. No podemos volver a nuestras casas y por este motivo nos gustaría pediros que nos dejaras pasar aquí la noche, en cualquier rincón del patio*.

Cuando estaban hablando salió Zobeida, otra bella joven, que aceptó que los comerciantes se quedaran allí.

—Sólo les pido que estén sin hablar, no hagan ninguna pregunta y, aunque vean cosas que les parezcan extrañas, no digan nada —les dijo.

—Así será y lo prometemos —dijeron el rey y su ministro.

Entraron en el palacio y se sentaron todos juntos en una mesa. Comieron con Zobeida, Amina y otra joven, llamada Sofía. Eran tres hermanas y las tres muy hermosas.

Después de comer, bebieron y cada uno cantó una canción y bailaron. Al poco rato, Zobeida se levantó de la mesa y dijo a sus hermanas:

—Vamos, hermanas; a estos señores no les parecerá mal que nosotras hagamos las cosas que tenemos por costumbre, aunque estén ellos presentes.

Dio una palmada* y envió a un esclavo para que trajese dos perras.

Amina y Sofía, mientras tanto, habían quitado la mesa y barrido* la sala donde estaban. Cuando llegó el esclavo con las dos perras, Zobeida con un gran látigo* comenzó a azotarlas durante mucho tiempo, hasta quedar agotada. Después, Zobeida se echó a llorar y las dos perras gimieron tristemente.

El rey y su ministro se quedaron muy asombrados ante la crueldad de la joven Zobeida. Amina, su hermana, para distraerles empezó a cantar una canción, pero era tan triste y estaba tan emocionada que cayó al suelo sin sentido [35]. El rey corrió a ayudar a la joven y vio con horror que Amina tenía el cuerpo lleno de cicatrices*.

Al ver esto, el rey y su ministro no pudieron resistir la curiosidad y preguntaron a Zobeida, qué era todo

---

[35] caer al suelo sin sentido=desmayarse, perder el conocimiento.

aquello. La joven, llena de ira al ver que los que ella creía comerciantes no habían cumplido su promesa de no preguntar nada, ordenó a su esclavo que les cortara la cabeza. Entonces, el ministro explicó a Zobeida que su acompañante era el rey, y él su primer ministro, que iban disfrazados para poder saber cómo vivían sus súbditos y lo que ocurría en su país.

Al oír aquello, Zobeida se arrodilló ante el rey y le contó toda la historia de su familia.

—Señor, la historia que voy a contar es la más asombrosa que se pueda oír. Esas dos perras negras y yo somos tres hermanas y te diré cómo quedaron convertidas* en perras.

Estas dos jóvenes, Amina y Sofía, son hermanas mías también, pero de madre distinta. Cuando murió nuestro padre, dividimos la herencia en partes iguales; mis dos hermanas se fueron a vivir con su madre y nosotras nos quedamos con la nuestra, que al morir nos dejó mil monedas a cada una.

Mis dos hermanas mayores, yo soy la más pequeña, se casaron y yo me quedé sola. El marido de la mayor se llevó a su esposa a vivir a África, donde no tardó en morir en la mayor pobreza. Entonces, mi hermana volvió a Bagdad a vivir otra vez conmigo y así estuvimos hasta que llegó nuestra otra hermana, también muy pobre.

Poco tiempo después me dijeron que pensaban volver a casarse. Yo les recordé el fracaso de su primer matrimonio, para que lo pensaran y no volvieran a equivocarse. Entonces, para divertir a mis hermanas, fuimos a la ciudad de Basora, aprovechando que teníamos que hacer unos negocios.

Llevábamos veinte días en un barco, cuando desembarqué en una ciudad y mis hermanas se quedaron esperando mi regreso. Aquella ciudad estaba con todos sus habitantes inmóviles, como estatuas*, unos sentados y otros de pie. Me acerqué y les hablé, pero nadie me respondió.

En el centro de la plaza había un enorme y lujoso palacio, que era donde vivía el rey. Los patios y las habitaciones, así como los salones, estaban llenos de personas convertidas en estatuas de piedra. Llena de curiosidad, recorrí* todas las habitaciones y vi a una mujer con muchas joyas y una corona* de oro en la cabeza, que estaba echada en una cama. Pero lo que más me sorprendió fue la sala del trono [36], de un gran lujo. Pero donde debía estar el trono, vi una gran cama redonda con una luz muy fuerte, producida por unos candelabros* de oro.

Perdida dentro de aquel palacio y sin saber cómo salir, pensé quedarme allí a pasar la noche, aunque tenía mucho miedo. A las doce, oí que un hombre leía el Corán*, igual que en las mezquitas*. Muy contenta, por haber encontrado a alguien con quien hablar, fui hasta el sitio donde se oía la voz. Vi a un joven muy bello que leía sentado sobre el suelo. Como la puerta no estaba cerrada del todo, la abrí. El joven, al verme entrar, me dijo con cariño:

—¿Quién eres y por qué has venido a esta ciudad donde reina la tristeza [37]? Si me lo dices, yo te diré por qué están todos convertidos en estatuas de piedra.

Me hizo sentar a su lado y le dije:

—Habla, por favor, ¿por qué eres el único que no estás convertido en estatua?

—Esta ciudad era la capital* de un poderoso reino, que llevaba el nombre del rey, mi padre. Él y la gente del reino eran todos magos*, adoradores del dios Nardum, antiguo rey de los gigantes* que habían desobedecido al Dios verdadero.

---

[36] sala del trono=habitación grande donde se encuentra un sillón muy lujoso para que se siente el rey.
[37] donde reina la tristeza=donde todos están tristes.

Aunque mis padres no creían en Dios, tuve la suerte de tener una nodriza* que se sabía de memoria el Corán, y me lo contó muy bien. Me enseñó a leer el árabe, para que yo pudiese leer el Corán.

Cuando murió mi nodriza, yo ya sabía mucho sobre la religión. No podía creer en los dioses* de mis padres y odiaba a Nardum, dios del fuego.

Pasaron tres años y se oyó una voz que decía estas palabras: «Habitantes* de este país, abandonad a Nardum y adorad al dios único y bondadoso.» La misma voz se oyó durante varios días y en distintas partes de la ciudad, pero nadie obedeció y a las cuatro de la mañana todos los habitantes quedaron convertidos en estatuas de piedra y mi padre también. Lo mismo le sucedió a mi madre, quedando convertida en estatua de mármol negro. Yo soy el único que quedó con vida y se salvó del tremendo castigo.

Desde entonces, continúo sirviendo a mi Dios y estoy seguro que Él te ha enviado para mi consuelo*.

Después de oír la historia del príncipe, le dije que viniera conmigo a Bagdad. Le pareció muy bien esto y fuimos al barco.

El capitán y mis hermanas tenían mucho miedo por mi tardanza*. Cuando llegué, les conté todo lo que me había pasado y les enseñé las joyas que me había regalado el príncipe que me acompañaba. Después fuimos a Basora.

El príncipe, durante el viaje, me pidió que me casara con él y yo acepté* con gusto. Mis hermanas tuvieron mucha envidia de mí, y decidieron vengarse de los dos.

Un día, mientras mirábamos el mar hablando de nuestro amor, nos tiraron al agua. El desgraciado príncipe se ahogó, pero yo pude nadar hasta llegar a la orilla de una isla, cerca de Basora.

Descansaba con tristeza de todo lo ocurrido, bajo la sombra de un árbol, cuando vi una enorme serpiente con alas*, que venía hacia mí con su larga lengua, que parecía un afilado cuchillo. La serpiente iba seguida de otra más grande que intentaba comérsela.

En vez de huir, cogí una piedra muy grande y se la tiré a la serpiente mayor, aplastándole* la cabeza, impidiendo que se comiera a la otra. La serpiente más pequeña al verse libre, echó* a volar.

Yo me dormí, pues estaba muy cansada.

Cuando desperté, me encontré con gran sorpresa con una mujer negra que estaba con dos perras negras también.

—Yo soy —me dijo— la serpiente a quien has salvado de su peor enemigo, y en premio* a esto he convertido a tus envidiosas hermanas en estas dos perras negras que aquí ves, y tienes que darles todas las noches cien azotes* a cada una. Si no lo haces, tú también te convertirás en perra.

Dije que lo haría, y en seguida nos llevó a nuestra casa de Bagdad. Desde entonces, azoto a mis hermanas, aunque me dé mucha pena.

* * *

Después de haber oído la historia de Zobeida, el rey pidió a Scherezade que contase por qué Amina tenía el pecho lleno de cicatrices.

HISTORIA DE AMINA

Mi madre me casó con uno de los hombres más ricos de toda la ciudad, y también me entregó todos los bienes* que había dejado mi padre.

No había pasado aún el primer año de nuestro matrimonio cuando me quedé viuda* y con toda la fortuna* de mi marido. Un día, estando sola en casa, me dijeron que una mujer quería hablarme, y mandé que entrase en seguida.

Era una mujer muy vieja que me saludó arrodillándose, y me dijo:

—Señora, te ruego que me perdones por molestarte, pero como sé lo bondadosa que eres, me he atrevido. Tengo una hija, que va a casarse hoy. Ella y yo somos extranjeras, y no tenemos ningún familiar* en esta ciudad. Si quisieras venir a la boda, nuestra gratitud* sería eterna*.

—Buena anciana —le respondí—, no estés triste que haré lo que pides.

La vieja, llena de alegría, me besó los pies.

—Señora —dijo—, Dios te premiará y llenará de alegría tu corazón, como lo está el mío. Al anochecer vendré por ti.

Al caer la noche [38] vino la vieja y, besándome la mano, me dijo:

—Señora, los parientes* de mi yerno*, que son de las principales* familias de la ciudad, están ya reunidos; si quieres podemos irnos ya.

Salimos, y al poco rato nos paramos delante de una puerta iluminada* por un farol*. Allí, escritas en letras de oro, se leía: «Ésta es la eterna casa de los placeres y la alegría.»

La vieja llamó y en seguida se abrió la puerta. Al atravesar* un patio, me encontré con una joven de gran belleza. Después de besarme, me hizo sentar a su lado, en un sofá de maderas preciosas y de diamantes.

—Señora —me dijo—, has sido invitada a una boda y espero que sea diferente* a otras bodas a que hayas ido. Tengo un hermano, el más bello de todos los hombres. Al hablarle de tu belleza se ha enamorado tanto de ti que, si no tienes compasión* de él, será el hombre más desgraciado del mundo.

---

[38] Al caer la noche=Al hacerse de noche.

Desde que me quedé viuda, nunca había pensado en volver a casarme; pero, en aquel momento, no pude resistirme a la petición de aquella bella joven y dije que sí. Ella dio una palmada y se abrió la puerta, entrando un joven tan bello, que me alegré de ser su esposa. Se sentó a mi lado y me di cuenta por su forma de hablar de que era aún mejor a todo lo que su hermana me había contado de él. Cuando ella vio que estábamos contentos el uno con el otro, dio otra palmada y apareció un criado con nuestros contratos* de matrimonio. La única cosa que mi marido pedía de mí era que no hablara con ningún hombre que no fuera él.

Un mes más tarde de mi boda y necesitando unas telas, le pedí permiso a mi marido para salir a comprarlas. Me dijo que sí.

—Señora —dijo la vieja que me acompañaba cuando estuvimos en la calle—, si deseas telas bonitas podemos ir a casa de un comerciante que yo conozco.

Me dejé llevar por ella y, cuando estuvimos en la tienda, pedí al comerciante que me enseñase las mejores telas que tuviera. Me enseñó una, que me gustó y mandé a la vieja que preguntara el precio.

—No la vendo, pero se la regalaré, si me deja darle un beso.

* * *

—Señor —dijo Scherezade al rey—, ya llega el día y terminaré mi cuento la próxima noche, si así lo deseas.

Llegó la noche y, poco antes de amanecer, Diznarda despertó a la reina, su hermana, diciéndole:

—Mi querida Scherezade te ruego termines el cuento de Zobeida.

Scherezade continuó así:

* * *

Como ya dije la noche pasada, el comerciante ofreció regalar la tela si Amina se dejaba besar, pero ella se negó, y contaba así lo ocurrido:

Ordené a la vieja que dijera al comerciante que era un atrevido*, pero ella, en vez de decírselo, quiso convencerme. Dijo que no tenía tanta importancia lo que me pedía el joven, sólo tenía que poner la mejilla* y él me besaría.

Yo deseaba tanto tener esa tela, que obedecí a la vieja. Pero el comerciante no me besó: me dio un mordisco tan fuerte, que me salió mucha sangre*.

El dolor y la sorpresa* me hicieron caer al suelo sin sentido. Cuando se me pasó el desmayo, vi que tenía toda la cara llena de sangre. La vieja estaba muy triste por mi desgracia, y dijo:

—Señora, perdóname, pues yo tengo la culpa [39] de lo que te pasa. Te he traído a esta casa porque es de mi país y no pensé que te pudieran hacer daño. Pero yo te daré algo que te curará dentro de tres días y sin que quede ninguna señal del mordisco.

Cuando llegué a casa volví a desmayarme. La vieja me curó y me metió en la cama.

Por la noche, cuando volvió mi marido y vio que tenía la cabeza tapada*, me preguntó el motivo*. Le contesté que me dolía la cabeza, pero no pareció creerme. Encendió una luz para verme y al ver la herida*, me dijo:

—¿Quién te ha hecho eso?

No me atreví a decirle la verdad, y dije que había ido detrás de mí un hombre con un asno* cargado de escobas* y que al volverme me hice yo misma la herida.

—Antes de que salga el sol —dijo— el primer ministro del país lo sabrá, y estoy seguro que mandará matar a todos los vendedores* de escobas de la ciudad.

---

[39] tengo la culpa=soy culpable, soy responsable de algo.

—Te pido que no hagas eso; ellos no son culpables —le dije después.

—¡Basta de mentiras! —dijo mi marido.

Dio una palmada y aparecieron tres esclavos.

—Sacad a la señora de la cama —les dijo— y ponedla en el suelo, en medio de la habitación.

Mandó que me sujetaran*, un esclavo por las manos, otro por los pies, y al tercero le ordenó que fuera por una espada. Cuando volvió, le dijo:

—Córtale la cabeza y tírala al Tigris* para que se la coman los peces. Éste es el castigo por haberme sido infiel.

En ese momento, entró la vieja, que había sido nodriza de mi esposo, y, arrodillándose a sus pies, le dijo:

—En recompensa* por haberte criado*, te pido que perdones a esta mujer. Piensa que sólo se debe matar al que mata.

—Por el cariño que te tengo la dejaré con vida [40]; pero quiero señalarla* para que siempre recuerde su pecado*.

Mandó a un esclavo que me azotase con una vara muy flexible* en el pecho. Yo caí al suelo sin sentido. Cuando me desperté, estaba en casa de la vieja, que me había curado las heridas, pero me quedaron las cicatrices.

Cuando pude andar, volví a casa de mi marido, pero la encontré destruida*. Entonces fui a casa de mi hermana Zobeida, que me recibió con cariño.

* * *

Estaban muy tristes el rey y su ministro al oír aquello y le dijeron:

—Aquella mujer que se apareció* en forma de serpiente, ¿no te prometió devolver* a tus hermanas su verdadera forma?

---

[40] la dejaré con vida = que no la matará.

—He olvidado decir que aquella mujer me dio un rizo* de sus cabellos* para quemarlos si algún día la necesitaba —respondió Amina.

—Pues bien —dijo el rey—, deseo que llames a esa mujer.

Zobeida quemó los cabellos y al momento apareció una bella mujer muy bien vestida.

—Señor —dijo al rey—, estoy aquí dispuesta a obedeceros. La joven que me llama me hizo un gran servicio, y en premio castigué a sus hermanas, pero si Vuestra Majestad lo desea, les devolveré la forma humana.

—Eso es lo que iba a pedirte —contestó el rey.

Trajeron las perras y la bella mujer echó sobre ellas y sobre Amina una taza* de agua, que borró* las cicatrices y las perras volvieron a ser unas jóvenes de gran belleza.

—Señor —dijo la mujer al rey—, el hombre que ha maltratado* a Amina es tu hijo mayor, Amín, casado en secreto* con ella. Al decir esto desapareció*.

El rey llevó a Amina con su hijo y le castigó por su mala conducta*. Luego él se casó con Zobeida, y a sus hermanas las casó con tres príncipes.

* * *

Habían pasado muchas noches sin que el rey se acordase de matar a Scherezade y cada vez oía con más placer sus cuentos. Otra noche Scherezade comenzó la **historia siguiente:**

LAS TRES MANZANAS

Otro día, el rey Harum, que se casó con Zobeida, mandó llamar a su ministro.

—Quiero dar un paseo por la ciudad —le dijo—

para saber lo que se dice[41] y, sobre todo, para enterarme si mi pueblo* está contento con las personas que se encargan de la justicia. Si hay alguno de quien tengan queja, lo quitaremos y pondremos a otro en su lugar[42]. Pero si hay personas buenas y justas, les premiaré por ello.

El primer ministro, el rey y el jefe de los eunucos* se disfrazaron para no ser reconocidos y salieron los tres juntos.

Pasaron por varias plazas* y mercados*, y al pasar por una calle, vieron a un anciano de barbas blancas, muy alto, que llevaba unas redes* sobre la cabeza y tenía en la mano un cesto* y un palo*.

—Parece que este anciano es muy pobre —dijo el rey—; vamos a preguntarle por qué.

—Buen hombre —le dijo el ministro—, ¿quién eres?

—Señor —le respondió el anciano—, soy pescador*; el más desgraciado de todos ellos. He salido de mi casa a pescar a las doce del día, y aún no he pescado nada. Tengo esposa e hijos y no tengo nada para que coman.

El rey, lleno de tristeza, le dijo al pescador:

—Si eres capaz de volver a echar las redes, te daré una bolsa* con cien monedas de oro por lo que pesques.

Ante esta promesa, el pescador olvidó todo el cansancio que tenía y echó de nuevo las redes al mar.

Cuando las sacó, llevaba en ellas un cofre*, muy pesado* y cerrado. El rey mandó que dieran al pescador por el cofre las cien monedas, como le había prometido, y le despidió.

El jefe de los eunucos tomó el cofre y fueron hacia palacio, deseando abrirlo para saber lo que tenía. Dentro había un gran cesto atado. El rey estaba tan impaciente* por ver lo que había que con un cuchillo lo

---

[41] lo que se dice = lo que la gente habla.
[42] poner a otro en su lugar = ocupando su sitio y su empleo.

abrió. Dentro había una alfombra* atada con cuerdas. Las cortaron y se quedaron horrorizados al ver un cuerpo muy blanco, de mujer, cortado en trozos.

El rey estaba muy asombrado al ver esto y, furioso, le dijo a su ministro:

—¿Así es como cuidas de mi pueblo? Se cometen asesinatos* en mi ciudad y tiran a la gente al Tigris, para que me culpen a mí el día del Juicio Final*. Si no vengas en seguida la muerte de esta mujer y castigas al asesino*, juro por Dios que te mandaré ahorcar*.

—Señor —le dijo el ministro—, haré todo cuanto pueda para conseguirlo.

—Te doy tres días para que lo encuentres. Piensa bien en lo que haces.

—¿Cómo podré encontrar al asesino en una ciudad tan grande? Otro en mi lugar [43] sacaría de la cárcel* a un desgraciado y lo mandaría matar para contentar al rey, pero yo no puedo hacer una cosa tan injusta y prefiero morir a salvarme de esta forma.

Mandó a la policía que buscaran al asesino y le buscaron por todas partes, pero no lo encontraban. El ministro pensó que el día de su muerte estaba cerca.

Pasaron los tres días, llegó un criado a casa del primer ministro y le dijo que le siguiera. Obedeció y cuando llegaron al palacio el rey le preguntó si ya había encontrado al asesino. El ministro respondió que todavía no.

El rey mandó que le ahorcaran delante de la puerta de su palacio, y a cuarenta personas más de su familia.

Mientras estaban poniendo las horcas*, se hizo un pregón* por todas las calles de la ciudad que decía:

—«Todos los que quieran ver cómo matan al primer ministro y a su familia, que vayan a la plaza, delante del palacio.»

[43] Otro en mi lugar=Otra persona puesta en la misma situación.

Cuando estuvo todo preparado, el juez y los guardias llevaron al ministro y a su familia y pusieron a cada uno de ellos debajo de una horca, con una cuerda al cuello.

El pueblo lo veía con gran tristeza, pues el ministro y su familia eran muy queridos por todos. Iban a quitarles la vida a las personas más buenas de la ciudad, cuando un joven muy bello y bien vestido atravesó la plaza, llegó hasta el ministro y, besándole la mano, dijo:

—Señor, no eres culpable, ¿por qué estás aquí? Marchaos y dejadme a mí, que soy el único que debe morir, pues yo maté a la joven y la eché al río.

Al oír estas palabras, el ministro se alegró mucho, pero luego, viendo la juventud y la belleza del joven, se entristeció.

De repente, salió un anciano de entre la gente* que allí estaba, y dijo:

—Señor, no creas lo que te dice. Yo maté a la joven, y sólo yo debo ser castigado.

—Señor —dijo el joven de nuevo—, te juro que yo lo hice, y nadie me ayudó.

—Hijo mío —le interrumpió el anciano—, la desesperación te hace decir esto. Yo debo morir, pues llevo* ya muchos años en el mundo [44].

La discusión entre el joven y el anciano, obligó al juez a llevarlos delante del rey. El ministro se arrodilló y le dijo:

—Señor, este anciano y este joven dicen que son los asesinos.

El rey preguntó cuál de ellos había asesinado tan cruelmente a esa joven y la había tirado al Tigris. El joven decía que era él, pero el anciano decía lo contrario. Cansado el rey, y no viendo solución al problema*, mandó al juez que ahorcase a los dos.

—Pero, señor —dijo el ministro—, eso no es justo.

---

[44] llevo muchos años en el mundo=que era muy viejo.

El joven dijo:

—Juro por Dios que yo soy quien cometió el asesinato. Yo soy el único que debe ser castigado.

El rey estaba muy asombrado y el anciano no volvió a decir nada más. El rey, mirando al joven, le dijo:

—Desgraciado, ¿por qué motivo mataste de una forma tan cruel*?

—Señor —contestó—, si se escribiera todo lo que ha ocurrido entre esa joven y yo, sería una historia de gran utilidad* para todos los hombres.

—Cuéntala entonces —dijo el rey—, yo te lo mando.

El joven obedeció y empezó su historia.

* * *

Scherezade dejó de hablar al ver que llegaba el día. A la noche siguiente contó esta historia:

HISTORIA DE LA MUJER ASESINADA Y DEL JOVEN, SU MARIDO

—Señor, debes saber que la joven asesinada era mi esposa, hija de este anciano.

Cuando tenía doce años me casaron con ella, tuve tres hijos y estuve casado casi once años. Mi esposa nunca me dio el menor disgusto*, pues era muy inteligente y de buenas costumbres. Yo la amaba y le daba todo aquello que deseaba. Hace dos meses se puso enferma; estuve todo el tiempo a su lado [45] para que se curara con mayor rapidez. Cuando pasó un mes, ya estaba mucho mejor, y quiso ir al baño público. Antes de salir de casa, me dijo:

—Primo* (ella siempre me llamaba así), quiero comer manzanas, y me sentiría muy feliz si me trajeses algunas. Hace tiempo que tengo este deseo, y es tan grande,

---

[45] a su lado=junto a ella, con ella.

que tengo miedo de que me ocurra algo si no las como.

—Haré lo que pueda para traerlas —le respondí.

En seguida fui a buscarlas por todos los mercados de la ciudad, pero no pude encontrar ni una. Volví a casa muy triste, y cuando mi esposa volvió del baño [46] y no vio las manzanas, no pudo ni dormir. Al día siguiente me levanté muy temprano y recorrí todos los huertos*, pero tampoco las encontré. Vi a un labrador* muy anciano, que me dijo que sólo las encontraría en el palacio del rey, en la ciudad de Basora.

Como yo quería mucho a mi mujer y deseaba complacerla, me puse un traje de viaje, me·despedí de ella y salí hacia Basora. Me di tanta prisa [47] que a los quince días volví a mi casa con tres manzanas. Al llegar se las di a mi esposa, pero ya se le había pasado el deseo de comerlas, así que las dejó en su habitación. A los pocos días de mi llegada, estando sentado en mi tienda, vi entrar un esclavo negro muy feo, llevando en la mano una manzana. Era una de las que yo había traído de Basora. No podía dudarlo, porque yo sabía que no había manzanas en todo Bagdad, ni en los huertos de los alrededores. Llamé al esclavo y le dije:

—¿De dónde has sacado esa manzana?

—Es un regalo que me ha hecho mi amante* —respondió sonriendo—. Hoy fui a verla y estaba algo enferma. Vi que tenía tres manzanas en un cesto en su habitación. Me dijo que su marido había ido a Basora sólo para traerlas. Cenamos juntos y al marcharme tomé esta manzana.

Me quedé muy asombrado y triste. Cerré la tienda y fui corriendo a mi casa. Subí a la habitación de mi mujer, miré si estaban las tres manzanas, y no vi más que dos. Pregunté qué había hecho con la otra man-

---

[46] baño=se refiere a los baños públicos, costumbre muy extendida entre los árabes. Lugar donde iba la gente a bañarse.

[47] Me di tanta prisa=Corrí mucho, lo hice con gran rapidez.

zana y entonces mi mujer volvió la cabeza hacia el cesto y dijo:

—¡Yo qué sé lo que ha pasado con ellas!

Ante esta respuesta*, pensé que lo que me había dicho el negro era cierto. Lleno de celos*, tomé el cuchillo que llevo siempre en la cintura y se lo clavé en la garganta* a mi esposa. Partí en trozos su cuerpo, que metí en esa alfombra, y luego dentro de un cofre. Cuando se hizo de noche, lo tiré al Tigris.

Mis dos hijos pequeños estaban ya acostados* y dormían, pero el tercero aún no había llegado. Cuando volví a casa encontré a mi hijo sentado en la puerta llorando. Le pregunté por qué lloraba.

—Padre —me dijo—, esta mañana cogí una manzana a mi madre sin que se diera cuenta, de las que tú trajiste. La he guardado durante mucho rato, pero cuando estaba en la calle jugando, un negro que pasaba me la ha quitado. Yo le dije que era de mi madre que se encontraba enferma, y que mi padre había tenido que ir muy lejos a buscarla, pero no me la devolvió. Desde entonces he estado paseando fuera de la ciudad [48], esperando a que volvieses, para pedirte que no le digas nada a mi madre, pues tengo miedo a que se ponga peor de su enfermedad.

Después volvió a llorar.

Lo que acababa de contar mi hijo me dio gran pena y me di cuenta de mi maldad. Me arrepentí, pero ya era demasiado tarde [49]. El padre de mi esposa y tío mío llegaba en ese momento; le conté todo lo que había pasado, y que era el más criminal* de todos los hombres. Sin embargo, mi tío, en vez de acusarme*, lloró conmigo amargamente la muerte de su hija, y yo, de una esposa a la que amaba mucho y a la que había

---

[48] paseándose fuera de la ciudad=por los alrededores, no dentro de la ciudad.

[49] demasiado tarde=que no tenía remedio, que no se podía arreglar.

dado muerte, por creer las mentiras de un esclavo. Ésta es la confesión que tengo que hacer. Señor, ya sabes todo, puedes castigarme como merezco.

El rey, al oír la historia del joven, exclamó:

—El esclavo es el único que merece ser castigado, por ser el causante* del asesinato.

Y mirando a su ministro, le dijo:

—Te doy tres días para encontrarle; si no lo encuentras, morirás en la horca

El desgraciado ministro, que ya se creía salvado*, se quedó horrorizado con esta nueva orden, pues estaba seguro de no poder encontrar al esclavo negro.

—Es imposible —decía— que en una ciudad tan grande como es Bagdad y donde hay tantos esclavos negros encuentre al que busco.

Pasó los dos primeros días en compañía de su familia, llorando y quejándose de la severidad* del rey y, cuando llegó el tercer día, se preparó* para morir. Llamó a un criado para que buscara a un notario* y firmó su testamento*; después, abrazó a su mujer y a sus hijas. Toda la familia lloraba ante un hecho tan cruel.

El ministro se disponía a ir al palacio, cuando llegaron dos de sus hijas pequeñas para despedirse de él. Se acercó* a ellas para besarlas y al abrazar a la más pequeña, vio que tenía algo* escondido* debajo del vestido.

—Hija mía, ¿qué es lo que tienes? —le preguntó.

—Querido padre —respondió—, es una manzana que me ha vendido el esclavo Rian por dos monedas. Al oírlo, el ministro mandó llamar al esclavo, y le dijo:

—¿De dónde has sacado esa manzana?

—Señor —respondió—, se la quité* a un chico* que estaba jugando en la calle y, aunque me la pidió, no quise devolvérsela. Luego se la vendí a la niña por dos monedas.

El ministro estaba asombrado al pensar que la estupidez* del esclavo había sido la causa de la muerte de una mujer inocente* y casi también de su propia muerte. Cuando se lo contó al rey, no pudo contenerse y empezó a reírse. Le dijo al ministro que su esclavo merecía un castigo ejemplar* por todo el daño que había causado.

—Estoy de acuerdo, señor —respondió el ministro—, pero yo sé una historia aún más asombrosa: la de un ministro de El Cairo, llamado Alí, y de Chensedin-Mohamed, su hermano. Y como sé que a su Majestad le gustan las historias, se la contaré, a cambio* de que deje libre a mi esclavo.

—Estoy de acuerdo —replicó el rey—, pero no creas que puedes salvarle, porque la historia de las tres manzanas es la más asombrosa que he conocido.

El ministro comenzó la historia siguiente.

* * *

Aquí cesó de hablar la reina, porque empezaba a amanecer y el rey daba muestras de impaciencia. Cuando la reina calló, el rey salió de la habitación, no sin antes decir que esperaba oír la historia a la noche siguiente.

Con la alegría de ver que el rey parecía olvidar el deseo de matar a todas sus esposas, la reina Scherezade empezó la siguiente historia cuando llegó la noche:

HISTORIA DE ALÍ Y CHENSEDIN-MOHAMED

En Egipto había un rey, muy justo y misericordioso*, al que respetaban sus súbditos. Amaba a los pobres, y a los sabios* les daba los primeros puestos [50] del reino.

El primer ministro de aquel rey era un hombre también justo, inteligente y bueno. Conocía, además, todas las ciencias y ayudaba a los artistas. Este ministro te-

---

[50] los primeros puestos=los trabajos más importantes.

nía dos hijos muy bellos y tan buenos como su padre. El mayor se llamaba Chensedin-Mohamed y el más pequeño, Alí, tenía todas las virtudes posibles en un hombre. Cuando murió el ministro, el rey envió a buscar a los dos hermanos y mandó que los vistiesen con las túnicas* de ministros.

—Siento mucho —les dijo— que haya muerto vuestro padre. Me da tanta pena como a vosotros mismos, y para que veáis que es cierto* os nombraré* primer ministro a los dos hermanos.

Dieron las gracias al rey y volvieron a su casa.

Al cabo [51] de un mes, fueron por primera vez al consejo* del rey y desde entonces continuaron asistiendo siempre a estas reuniones de ministros. Además, siempre que el rey iba de caza, se llevaba a uno de los dos hermanos.

Un día, mientras hablaban después de la cena, el hermano mayor le dijo al más pequeño:

—Hermano mío, ya que aún no nos hemos casado ninguno de los dos, y como estamos siempre juntos, sería una pena que al casarnos nos tuviéramos que separar. He pensado que podíamos buscar a dos hermanas, y casarnos con ellas.

Alí respondió:

—Me parece muy buena idea y estoy dispuesto a hacer lo que quieres.

—Mi fantasía* es muy grande —repuso Chensedin-Mohamed—. Si nuestras mujeres se quedan embarazadas* el día de la boda y dan a luz [52] el mismo día, nuestros hijos, si son varón* y hembra*, podrán casarse. Ese casamiento haría aún mayor nuestra unión* y daría con gusto mi consentimiento*.

—Pero, hermano —añadió Alí—, ¿si se casaran pedirías dote*?

_____

[51] Al cabo de un mes = Pasado un mes.
[52] dan a luz = tienen un hijo.

—Por eso no te preocupes —replicó el mayor—; estoy seguro que, además de la dote normal, me darías tres mil monedas más, tres buenas casas y tres esclavos.

—¿No somos hermanos y compañeros, con un mismo trabajo para los dos?, y ¿cómo sabes tú que es el varón y no la hembra quien debe dar la dote? Me parece que quieres aumentar tu dinero con el mío [53].

Aunque Alí decía esto en tono de broma [54], a su hermano no le gustó la contestación, y dijo:

—¡Pobre hijo el tuyo! —contestó enfadado—, ya prefieres a mi hija. Me asombra tu atrevimiento. Debes estar loco para quererte comparar conmigo [55] diciendo que somos iguales y compañeros. Después de lo que has dicho, no querré casar a mi hija con tu hijo, aunque le dieras grandes riquezas.

Esta estúpida discusión* entre los dos hermanos no debía haber ocurrido, pues eran cosas que aún no habían sucedido, del futuro, pero Chensedin-Mohamed llegó hasta amenazar a su hermano:

—Si no fuera porque mañana debo ir con el rey —dijo—, te daría lo que te mereces*: pero cuando vuelva, verás, que un hermano menor no debe hablar así al mayor.

Después de estas palabras, se fue a su habitación, y su hermano Alí a la suya.

Chensedin-Mohamed se levantó al día siguiente de madrugada*. Marchó al palacio y salió con el rey por el camino de El Cairo hacia las Pirámides*.

Alí había pasado la noche con gran tristeza, y después de pensar que ya no podía vivir en la misma casa con su hermano, tomó una decisión*. Mandó que le trajeran una mula*, subió en ella algunas joyas, dinero

---

[53] aumentar tu dinero con el mío=unir el dinero de los dos con el fin de quedarse con todo.
[54] en tono de broma=sin seriedad, sonriendo, bromeando.
[55] comparar conmigo=igualarte conmigo, ser como yo.

y comida y dijo a los criados que se iba durante algún tiempo de viaje.

Cuando estuvo fuera de El Cairo, marchó por el desierto hacia Arabia*. La mula murió en el camino y tuvo que seguir su viaje a pie [56]. Una caravana* que iba a Basora le recogió* y, cuando llegaron a la ciudad, Alí se quedó después de dar las gracias al jefe de la caravana.

Iba andando por las calles, en busca de un sitio* donde pasar la noche [57], cuando vio venir hacia él a un hombre, acompañado de varias* personas. Todas las personas que pasaban por la calle se detenían para mirar a este hombre. Alí también se paró* y vio que era el primer ministro de Basora, que paseaba por la ciudad, para ver el orden* que había por las calles.

El ministro se fijó [58] en el joven, que le pareció muy agradable, le miró con cariño y le preguntó quién era.

—Señor —le respondió—, soy egipcio, de El Cairo, y he abandonado mi país, tan justamente enfadado que estoy decidido a no volver y a seguir viajando por todo el mundo.

El primer ministro del rey, que era un noble* anciano, al oír estas palabras, le dijo:

—Hijo mío, no hagas eso. Por el mundo hay muchas desgracias y tú no sabes las penas que tendrás que sufrir. Si quieres, ven conmigo, y quizá te haga olvidar el motivo que te obligó a dejar tu país.

Alí acompañó al anciano ministro de Basora, que en seguida tuvo un gran cariño por él, pues era un joven muy virtuoso*.

Un día, mientras hablaba con Alí, le dijo:

—Hijo mío, ya ves que soy muy viejo y no viviré mucho tiempo. Tengo una hija muy hermosa y que ya

---

[56] tuvo que seguir su viaje a pie=andando.
[57] un sitio donde pasar la noche=donde dormir.
[58] se fijó=puso más atención, miró con más cuidado.

tiene edad para casarse. Varios amigos de esta ciudad quieren que se case con sus hijos, pero prefiero* que se case contigo, si la quieres. Yo arreglaré todo para que no se enfaden.

Al oír estas palabras, el joven se arrodilló ante él y respondió que estaba dispuesto a obedecerle en todo lo que quisiera. Entonces el anciano llamó a sus criados, les ordenó que arreglasen* el salón principal para hacer un gran banquete* y mandó avisar a todas las personas más importantes* del país y de la ciudad.

—Voy a deciros un secreto que he tenido guardado* hasta ahora —dijo el ministro a sus invitados—: tengo un hermano que es primer ministro del rey de Egipto y me ha enviado a su hijo, para que se case con mi hija. Es este joven y espero que todos asistan a la boda que voy a celebrar hoy mismo.

Con este pretexto*, a ninguno de aquellos caballeros les pareció mal que hubiese preferido casar a su hija con su sobrino*, y le prometieron asistir a la boda, deseándole que Dios le diera larga vida para ver a los hijos [59] que nacieran de aquella boda.

En cuanto todos estuvieron reunidos en casa del ministro, se sentaron a la mesa. Después de comer sirvieron dulces* y luego entraron los criados con el contrato de matrimonio. Las personas más importantes lo firmaron y después se marcharon todos los invitados.

Entonces, el ministro mandó que llevasen a Alí al baño que había mandado preparar; le vistieron con una ropa muy elegante y le perfumaron con las más deliciosas esencias*. Volvió Alí con su suegro*, que se quedó asombrado al ver la belleza del joven.

—Hijo mío —le dijo—, me has dicho quién eres y el cargo* que tenías en la corte* de Egipto; me dijiste también que te habías enfadado con tu hermano y

---

[59] larga vida para ver a los hijos = ver a sus nietos, hacerse muy viejo, vivir muchos años.

que por eso te fuiste. Te pido que tengas confianza* en mí y me cuentes cuál fue el verdadero motivo de vuestra discusión.

Alí le contó todo, y el anciano comenzó a reírse sin poderse contener [60].

—¿Es posible, hijo mío, que vuestra discusión haya sido por algo imaginario*? Veo, sin embargo, que la culpa la tiene tu hermano, y debo dar gracias a Dios, por darme un yerno como tú. Ya es tarde —añadió el anciano— y tu esposa te espera. Mañana te presentaré al rey y espero que te reciba muy bien.

* * *

Lo más asombroso de esta historia —siguió contando el ministro— es que el mismo día, también se casaba, en El Cairo, el hermano mayor, Chensedin-Mohamed.

Cuando Alí se marchó de su lado pensando no volver más, Chensedin-Mohamed, que, como ya he dicho, se había ido a cazar con el rey de Egipto, al volver a su casa fue a buscar a su hermano para pedirle perdón por la injusticia que había hecho. Vio que se había marchado y se entristeció mucho cuando no volvió, y decidió ir a buscarle. Mientras tanto [61] pensó casarse y lo hizo con la hija de uno de los caballeros más nobles de El Cairo, el mismo día que su hermano también se casaba en Basora.

—Aún sucedió algo más —dijo el ministro—; al cabo de nueve meses, las dos mujeres dieron a luz. La mujer de Chensedin-Mohamed tuvo una niña en El Cairo, al mismo tiempo que en Basora la mujer de Alí tenía un niño. Alí puso de nombre a este niño Mohamed, en recuerdo de su hermano.

El primer ministro de Basora estaba muy contento

---

[60] sin poderse contener = sin poder evitarlo, sin voluntad.
[61] Mientras tanto = En ese espacio de tiempo.

con su nieto*, y para dar a su yerno una prueba más de su cariño, le dio su cargo de ministro. El anciano se sentía feliz de ver a Alí como ministro, pues de esta manera ya podía morir tranquilo [62].

El anciano murió cuatro años después de la boda de su hija, con la alegría de tener un nieto. Cuando este niño tuvo siete años, tenía un profesor que le enseñaba y le daba una educación digna de su nacimiento. El niño tenía una gran inteligencia y era muy estudioso; aprendió a leer y sabía el Corán* de memoria. Su padre, Alí, le puso otros profesores que le enseñaron tantas cosas que a los doce años ya no los necesitaba. Su inteligencia y la perfección de su cara admiraba a todos los que le veían. Su padre, Alí, sólo pensaba en hacerle estudiar y no le había presentado todavía al rey. Entonces, cuando tuvo doce años, le llevó al palacio para que le conociera.

Desde pequeño, Alí intentó preparar a su hijo Mohamed para ser primer ministro y darle su puesto cuando fuera mayor [63]. Un día Alí se sintió muy enfermo y, dándose cuenta de que no tardaría mucho en morir, quiso prepararse [64] como todo buen musulmán. Mandó llamar a su hijo, Mohamed, al que dijo:

—Hijo mío, ya ves que la vida es corta*, pero donde yo voy a ir [65] es para siempre. Es necesario que sepas esto y empieces a prepararte para que tu conciencia* no se pueda arrepentir de nada, siendo un buen musulmán y un hombre honrado. En cuanto a la religión, ya sabes de ella bastante con lo que te han enseñado tus maestros y con lo que has leído. Pero para ser un hombre honrado y bueno te voy a dar algunos

---

[62] morir tranquilo=con todo arreglado, en paz.
[63] cuando fuera mayor=cuando tuviera edad para trabajar.
[64] quiso prepararse=quiso disponer todas sus cosas antes de morir.
[65] donde yo voy a ir=se refiere a la muerte.

consejos. Es necesario conocerse a sí mismo [66], y tú no puedes conocerte sin saber quién soy yo, tu padre.

Nací en Egipto, y mi padre, tu abuelo*, era primer ministro del rey. Yo también fui ministro cuando él murió, con mi hermano, tu tío*, que espero estará vivo. Se llama Chensedin-Mohamed, como tú. Te contaré cómo me separé de él, vine a esta ciudad y ocupé el puesto que ahora tengo. Pero conocerás todo mejor cuando leas este cuadernillo* que voy a darte.

Al decir esto, Alí sacó un cuaderno escrito por él y se lo dio a su hijo Mohamed.

—Toma —le dijo—, léelo despacio y hallarás entre otras cosas el día de mi boda y el de tu nacimiento. Quizá necesites saber esto algún día.

Mohamed se quedó muy triste al ver a su padre enfermo y tomó el cuaderno, con los ojos llenos de lágrimas, prometiéndole no separarse nunca de él.

Hijo mío —le dijo—, lo primero que debo enseñarte es a ser reservado* con los demás [67] y comprenderte primero a ti mismo.

La segunda cosa que te voy a enseñar es que no seas violento* con nadie, porque entonces todos estarán contra ti. Debes mirar al mundo con comprensión* y tolerancia.

La tercera, no contestes cuando te insulten*. Cuando una persona se calla, dice el refrán*, «está fuera de peligro» [68]. Un poeta dijo: «el silencio guarda la vida», y que nunca debemos parecernos a la lluvia de una tormenta, que todo lo destruye.

Nadie se arrepiente de no haber hablado, pero sí de no haber callado. La cuarta cosa es no beber vino, que puede ser la causa de todos los vicios*. La quinta, economiza* tu dinero: no lo malgastes* y nunca

---

[66] Es necesario conocerse a sí mismo=Saber cómo es uno mismo.

[67] con los demás=con el resto, con las otras personas.

[68] está fuera de peligro=está salvado, no corre peligro.

tendrás necesidades*, pero no caigas [69] en la avaricia*.

Continuó Alí dando buenos consejos a su hijo hasta que le llegó la hora [70] de morir.

Enterraron a Alí con grandes honores* por su alto cargo* y muchas personas lloraron su muerte.

Mohamed Hassan de Basora, su hijo, que así le llamaron por haber nacido allí, sintió una gran tristeza con la muerte de su padre. Estuvo durante más de dos meses solo y sin ver a nadie. Ni siquiera fue al palacio a ver al rey, que se enfadó y, lleno de ira, mandó llamar a Mohamed. Le quitó todas sus casas y su dinero, sin dejarle nada, y ordenó que le encarcelaran.

El nuevo primer ministro del rey se encargó* de todo esto y también de meter a Mohamed en la cárcel, pero un esclavo, que se enteró de que venían a buscarle, fue corriendo a avisar a su amo y le dijo que huyera.

—¿Qué ocurre? —preguntó Mohamed.

—Señor, el rey está muy enfadado, y vienen por orden suya a llevaros prisionero*.

Mohamed, sin tener tiempo de llevarse nada, salió sólo con la ropa de dormir, sus zapatos y su turbante enrollado* en la cabeza. Empezó a andar sin saber a dónde ir y la primera idea* que se le ocurrió* fue salir de la ciudad. Como era de noche y estaba cerca del cementerio*, pensó pasar la noche en la tumba de su padre.

Era un edificio grande que Alí, su padre, había mandado construir. Iba a entrar, cuando se encontró con un amigo de su padre. Era un judío* muy rico, banquero* y comerciante de profesión. Volvía de un pueblo donde había hecho algunos negocios y regresaba a la ciudad. Al reconocer a Mohamed, se paró a saludarle, y le dijo:

—¿A dónde vas a estas horas de la noche?

---

[69] no caigas en la avaricia = no seas avaro.
[70] el momento de morir = cuando uno muere.

—Me he quedado dormido y mi padre se me apareció* en sueños. Me miraba de una forma terrible, como si estuviese muy enfadado conmigo. Me he despertado asustado y vengo a rezar sobre su tumba —dijo Mohamed.

—Alí, mi amigo y tu padre —dijo el comerciante—, me dio algunas mercancías para que las vendiera. Si quieres, tú puedes quedarte con ese dinero que era de él —y entregó a Mohamed una bolsa con cien monedas.

Mohamed hizo un recibo* por el dinero que le había dado y se lo entregó al judío. Cuando se quedó solo, se puso a rezar sobre la tumba de su padre, y al poco rato se quedó dormido. Un genio* que vivía allí vio al joven y, al verle tan bello, fue a llamar a un hada*, amiga suya, para que le viera.

—¿Has visto alguna vez un joven tan bello? —le dijo.

—Reconozco su belleza —dijo el hada—, pero he visto en El Cairo algo aún más asombroso, que te voy a contar. El primer ministro tiene una hija tan bella como este joven. El rey dijo su ministro que él deseaba casarse con ella, pero el ministro, a pesar del honor [71] que el rey le hacía al preferir a su hija, le dijo:

—Espero, señor, que no os parecerá mal, pero hace muchos años mi hermano, Alí, y yo prometimos que, si teníamos hijos de distinto sexo* y de la misma edad, los casaríamos. Sé que ha muerto mi hermano con esta ilusión* y pido a Vuestra Majestad me permita cumplir esta promesa. El rey, muy enfadado por las palabras de su ministro, dijo:

—¿Esto haces a tu rey? Yo me vengaré casando a tu hija con el hombre más pobre y más feo de toda la ciudad.

Al día siguiente, el rey mandó llamar a todos sus

---

[71] a pesar del honor=de la distinción, la importancia de que el rey se case con su hija.

esclavos, y viendo a uno de ellos jorobado*, le eligió para marido de la hija de Chensedin-Mohamed.

Cuando el hada terminó de hablar, el genio le dijo:

—Por mucho que me digas [72], no puedo creer que la hija de ese ministro sea tan bella como este joven.

El hada y el genio cogieron a Mohamed en brazos*, y, sin que se despertara, le llevaron hasta El Cairo. Cuando Mohamed se despertó, el genio le dijo, señalando a varias personas que iban juntas y pasaban por allí:

—Vete con esa gente hasta que entres en una sala, donde se va a celebrar una boda. El novio* es un jorobado, ya lo verás; te pones a su derecha al entrar en la casa y abres la bolsa donde tienes el dinero. Lo repartes entre los músicos, los bailarines y los criados. Cuando llegues a la sala, le das también dinero a las esclavas, que estarán cerca de la novia. Debes hacer todo lo que te digo y confiar en mí.

El joven Mohamed llegó a la casa y empezó a hacer todo lo que el genio le había ordenado. Cuando llegó a la sala donde se celebraba la boda, todo el mundo se fijó en su gran belleza y le comparaban* con el jorobado, compadeciendo a la novia. Pensaban en la injusta decisión del rey, que unía la belleza a la fealdad*.

Mohamed seguía el consejo del genio y no dejaba de repartir dinero. El jorobado, enfurecido* con el joven que miraba a la novia, le dijo:

—¿Por qué no te vas con los demás? ¡Vete de aquí!

Mohamed iba a salir de la casa, pero el genio y el hada se lo impidieron, diciéndole:

—¿A dónde vas? Quédate. El jorobado ya no está en la sala, pues ha salido un momento. Entra en la habitación de la novia y, cuando estéis solos, dile que

---

[72] Por mucho que me digas=Por muchas veces que me lo repitas.

ha sido una broma* del rey y que tú eres su verdadero marido. Mientras tú haces esto, nosotros nos en-
cargamos de que el jorobado no vuelva.

El genio se convirtió en un enorme búfalo*, que
asustó tanto al jorobado que salió corriendo y no volvió a la casa.

Mohamed, animado* por el genio y el hada, entró de
nuevo en la casa y esperó a que la novia se metiera
en su habitación. Cuando estuvo dentro, entró él también. La novia se quedó admirada* de ver a un joven
tan bello en lugar del jorobado, y le preguntó quién
era.

—Señora, soy vuestro esposo —contestó el joven.

Al oír estas palabras, la joven, que estaba con mucho
miedo, se alegró:

—No esperaba una sorpresa tan agradable —dijo.

Cuando los dos esposos se durmieron, el genio le
dijo al hada:

—No es conveniente* que cuando llegue el día le
vean aquí.

Llevaron a Mohamed, sin que se despertara, y le
dejaron a las puertas de la ciudad, como estaba vestido
cuando llegó.

Se hizo de día y abrieron las puertas de la ciudad.
Cuando Mohamed despertó y se encontró allí, se quedó muy asombrado y sin saber qué pensar ni qué hacer. La gente que pasaba por su lado se reía de verle
sin vestir, pensando que estaba loco. Un anciano, ad-
mirado de su belleza y al ver la tristeza que tenía el
joven, le ofreció ir a vivir a su casa, donde le enseñó
el oficio* de pastelero*.

Mientras tanto, la joven novia, al despertar y no ver
a su lado al que creía su marido, preguntó por él.
Como nadie sabía nada, pues todo había sido preparado por el hada y el genio, pensaban que la joven se
había vuelto loca, pues creían que el jorobado había
huido y que ella había pasado la noche sola. Para que

creyeran que un joven había estado con ella, enseñó a su padre las ropas que Mohamed había dejado en su habitación.

Cuando su padre vio las ropas, notó que había algo cosido en el forro* y descubrió el cuaderno que Alí había entregado a su hijo al morir y reconoció la letra* de su hermano. Al verlo, cayó al suelo sin sentido. Cuando se recuperó [73], le dijo a su hija:

—Hija mía, tu esposo, el joven que ha pasado la noche contigo, es tu primo, hijo de mi querido hermano Alí.

Entonces contó a su hija toda la historia y, como no sabía lo que podría suceder, pensando que era una situación muy extraña, tomó la ropa de Mohamed, la bolsa del dinero y escribió toda la historia de la boda de su hija. Después hizo un paquete* con todo y lo guardó con llave en un armario*.

Al cabo de algún tiempo, la joven se enteró de que esperaba un hijo [74]. A los nueve meses dio a luz un niño, y su abuelo le puso de nombre Ajib.

Cuando el niño tuvo siete años, su abuelo le envió a la escuela*, pero el niño era tan malo y desobediente, que sus compañeros y maestros estaban cansados de él.

El maestro llamó a todos los niños y decidieron darle un escarmiento*. Se pusieron a jugar todos, rodearon a Ajib, diciendo que no podría jugar el niño que no dijese el nombre de sus padres y el suyo.

Todos iban diciendo sus nombres y, al llegar a Ajib, dijo:

—Yo me llamo Ajib; mi madre se llama Reina Hermosa, y mi padre, Chensedin-Mohamed, ministro del rey.

Al oír estas palabras, los niños dijeron:

---

[73] Cuando se recuperó=Cuando se puso bueno, cuando se despertó.
[74] esperaba un hijo=iba a tener un hijo, estaba embarazada.

—¿Qué es lo que dices?, Chensedin-Mohamed es tu abuelo.

—¿Por qué decís que no es mi padre?

Los niños se reían, y el maestro, acercándose a Ajib, le contestó:

—¿No sabes todavía que Chensedin-Mohamed es tu abuelo y no tu padre?

Después, le contó la historia de cómo el rey había querido casar a su madre con un jorobado, pero que un genio pasó la noche con ella.

Ajib volvió a su casa llorando. Fue a la habitación de su madre, que al verle llorar le preguntó el motivo.

—¡Madre, dime quién es mi padre!

—Hijo mío —le respondió—, tu padre es el primer ministro, Chensedin-Mohamed.

—¡No es verdad!, ése es el tuyo, no el mío —gritó Ajib.

Reina Hermosa, su madre, lloraba y Ajib lloraba también. Chensedin-Mohamed entró en la habitación y preguntó qué era lo que pasaba. Su hija le explicó lo ocurrido en la escuela. Aquello entristeció mucho al ministro y pidió permiso al rey para ir a buscar a su sobrino Mohamed. El rey se lo dio, y salió de la ciudad en su busca.

Chensedin-Mohamed marchó en dirección a Damasco* con su hija y su nieto. Caminaron durante diecinueve días seguidos, sin pararse en ningún sitio, hasta que llegaron a una pradera cerca de las puertas de Damasco, y se quedaron allí a descansar.

Chensedin-Mohamed decidió quedarse allí durante dos días y al tercero continuar su viaje, pero su hija y su nieto quisieron entrar en la ciudad.

A Ajib le cuidaba un esclavo negro, que le acompañaba a todas partes. Cuando entraron en la ciudad, Ajib, que también era muy bello, llamó la atención [75]

---

[75] llamó la atención = le miraban, se fijaban en él.

de las gentes que le veían. Por casualidad, se pararon en la puerta de una pastelería donde Mohamed, el padre de Ajib, trabajaba.

El pastelero, que había recogido a Mohamed, había muerto hacía años dejándole la tienda y todo su dinero.

Mohamed también miró a Ajib y sintió una extraña* alegría.

—Niño, entra en mi tienda que yo te invito a comer lo que quieras —le dijo.

El niño iba a entrar, pero el esclavo se lo impidió, diciendo que no debía entrar en la tienda de un pobre pastelero. Entonces Mohamed les pidió que entrasen los dos y así podría ver al niño mejor. Dio al esclavo unas monedas para que entraran.

Cuando comieron, se marcharon y Mohamed asombrado por el bello rostro de su hijo, que le recordaba a su esposa, de quien le habían separado de una forma tan extraña, los siguió por la ciudad. El niño se dio cuenta de que Mohamed iba detrás, y temiendo que su abuelo se enterase de que había entrado en una tienda a comer pasteles, tomó una gran piedra y se la tiró al pastelero. Mohamed volvió a su casa con una herida y pensando en la maldad de aquel niño.

Ya estaba casi curado y mientras trabajaba haciendo pasteles, llegó de nuevo el esclavo a comprar pasteles para su amo, pues eran famosos en todo el reino. Mohamed le preguntó por qué estaban viviendo fuera de la ciudad y quién era ese niño tan cruel y bello. El esclavo contó todo lo que sabía, y Mohamed, llorando de alegría, acompañado por el esclavo, se arrodilló a los pies de Chensedin-Mohamed, su tío, y le dijo:

—Tío, yo soy tu sobrino, a quien buscabas.

Reina Hermosa, al oír estas palabras, se acercó y reconoció a Mohamed, el joven que había pasado la noche con ella, el padre de Ajib.

La alegría de todos fue muy grande, y después de abrazarse, Mohamed contó toda su historia a su familia.

Volvieron a El Cairo, donde el rey dio a Mohamed el cargo de primer ministro a la muerte de su tío, Chensedin-Mohamed.

* * *

Scherezade prometió contar otra historia a la noche siguiente, y Diznarda no dejó de despertar a su hermana con tiempo suficiente para que pudiera hacerlo.

HISTORIA DE UN JOROBADITO

Hace muchos siglos*, vivía en una ciudad de la gran Tartaria un sastre*, bueno y honrado, que amaba mucho a su esposa. Un día se presentó en su tienda un jorobado cantando; lo hacía tan bien, que le pidió que entrase en su casa para que le oyese su mujer.

Después de que el jorobado cantó, le invitaron a cenar pescado; pero con tanta mala suerte que el jorobado se comió una espina* y al poco rato murió. Llenos de miedo y de pena, pensando que les acusarían de asesinato, decidieron llevar al jorobado a un médico judío que vivía cerca de su casa.

Cuando llegaron allí, salió un esclavo a preguntar qué querían. El sastre dijo que llevaba un enfermo y que necesitaba un médico. Puso una moneda en la mano del esclavo para pagar al médico y salieron corriendo.

Salió el médico y, como la luz de la escalera* estaba apagada, tropezó* con el cuerpo del jorobado, que cayó con gran ruido* por las escaleras.

El médico, al ver que estaba muerto, pensó que había sido por el golpe. Subió al muerto a su casa y pasó toda la noche pensando qué podría hacer con él.

Como no se le ocurría nada [76], decidió tirarle por la chimenea* de su vecino, que era un criado del rey. El médico ató al muerto por debajo de los hombros con una cuerda y le bajó por la chimenea, dejándole con los pies en el suelo, como si estuviese vivo y de pie.

Al entrar en su casa el criado del rey vio al jorobado en la chimenea; pensó que era un ladrón* que venía a robar, cogió un palo y empezó a darle golpes, hasta que cayó al suelo.

Cuando miró a ver quién era, vio que estaba muerto y, muy asustado, pensó que le ahorcarían.

Estuvo durante largo rato pensando lo que podría hacer y decidió sacarle, dejándole de pie a la puerta de una tienda.

Un comerciante cristiano que quería ir en las primeras horas de la mañana al baño público, tropezó con el jorobado; creyó que era un ladrón que iba a atacarle y le tiró al suelo de un golpe, a la vez que gritaba pidiendo ayuda. Llegaron los guardias* y, al ver que al jorobadito le había matado un cristiano, se llevaron preso al comerciante.

El juez, enterado por el jefe* de policía, dijo:

—No puedo perdonar a los cristianos que matan musulmanes. El comerciante fue llevado a la horca, y ya le estaban poniendo la cuerda en el cuello, cuando llegó gritando el criado del rey.

—¡Yo soy el verdadero asesino! ¡Yo soy el asesino!

Al oír esta confesión, los guardias soltaron al comerciante y en su lugar pusieron al criado.

Iban ya a ahorcarle cuando salió de entre la gente el médico gritando:

—¡Yo soy el asesino!, maté al jorobado sin darme cuenta.

---

[76] Como no se le ocurría nada=No encontraba ninguna idea apropiada, ninguna solución.

Y tanto lo juró, que el juez mandó soltar al criado, cambiándole por el médico.

—Señor —se oyó una voz—, este hombre también es inocente.

Era el sastre, que contó la verdadera historia, diciendo que el jorobado se había tragado una espina mientras cenaba pescado en su casa.

—Deja entonces al médico y ahorca al sastre, ya que se declara culpable —dijo el juez al verdugo.

El verdugo se preparaba cuando ocurrió algo nuevo. El rey no podía estar mucho tiempo sin el jorobadito, que le divertía con sus canciones. No sabía que había muerto y preguntó por él.

—Señor —le contestó un guardia—, el jorobadito se emborrachó* ayer, salió del palacio y ha sido encontrado muerto esta mañana.

El rey mandó que trajeran al muerto y al acusado*. Después de oír la historia completa* del pobre jorobado, perdonó al sastre, que volvió con su esposa.

* * *

—¿Habeis oído qué historia tan asombrosa? —dijo el rey.

—Señor —dijo el ministro—, ya que te gustan las historias, voy a contarte otra, aún más asombrosa que ésta. Me la contó un comerciante cristiano.

* * *

Scherezade miró por la ventana y vio que ya era de día.

—Señor, seguiré la próxima noche, si lo permites.

Diznarda volvió a despertar a su hermana antes del amanecer y Scherezade continuó.

HISTORIA DEL COMERCIANTE CRISTIANO

Señor —me dijo el comerciante—, antes de empezar, te diré que soy extranjero en este país, pues nací en Egipto, en El Cairo. Mi padre era comerciante y tenía grandes riquezas. Yo, siguiendo su ejemplo, seguí su profesión.

Un día, en El Cairo, se me acercó un joven comerciante montado sobre un asno. Me saludó y enseñándome una muestra* de trigo* que llevaba en un pañuelo*, me preguntó que a cuánto [77] se vendía el kilo. Miré el trigo y le dije que a cien monedas de plata.

—Pues entonces —me contestó—, si hay comerciantes que lo compran a ese precio*, en la plaza de la Victoria te estaré esperando.

Dicho esto, se marchó, dejándome la muestra de trigo, que yo enseñé a muchos comerciantes. Todos me dijeron que comprase para ellos todo el trigo que pudiera por ciento diez monedas el kilo.

Contento con la ganancia de esta venta, fui a la plaza de la Victoria, donde me esperaba el joven comerciante. Me llevó a sus almacenes*, que estaban llenos de trigo, y cargamos varios asnos con ciento cincuenta kilos.

—De la cantidad que nos paguen —me dijo— serán tuyas quinientas monedas. El resto, te pido que me lo guardes hasta que yo vuelva.

Al cabo de un mes, volvió y me pidió su dinero. Le dije que estaba guardado y que en seguida se lo daría.

—No lo necesito —dijo—, cuando me haya gastado lo que tengo, volveré. Sé que me lo guardarás.

Se marchó y tardó mucho en volver.

—Bueno —pensé—, gastaré ese dinero para hacer negocios hasta que me lo pida.

---

[77] a cuánto=a qué precio, cuánto dinero costaba.

Pasó un año y volvió a mi casa, pero le vi tan triste que le invité a comer.

Cuando estuvo hecha la comida, nos sentamos a la mesa. Noté* que comía con la mano izquierda y, al terminar, nos tomamos [78] unos pasteles, que también cogió con la mano izquierda.

—Señor —le dije—, ¿te parecería mal si te pregunto por qué no comes con la mano derecha?

El joven, con gran tristeza, sacó el brazo que durante todo el tiempo había tenido metido debajo de su capa*, y vi que tenía la mano cortada*.

—¿Qué desgracia te ha ocurrido? —le pregunté.

Y me contó esta historia:

HISTORIA DEL MANCO*

Yo nací en Bagdad —me dijo—; cuando cumplí los doce años, oí contar a varias personas que habían viajado por Egipto grandes maravillas [79] de este país, pero sobre todo de la ciudad de El Cairo. Al escuchar sus aventuras por estas tierras, tuve un gran deseo de conocerlas.

Cuando llegué a El Cairo, me detuve en un almacén alquilado* para dejar allí mis mercancías, que las llevaban varios camellos. En seguida, me vi rodeado de gran cantidad de comerciantes, que me dijeron les vendiera mis mercancías, que ellos las venderían y dos veces al año me darían el dinero.

Seguí sus consejos y di las telas que traía a varios comerciantes, que me dieron unos recibos firmados con testigos*. Arreglados mis negocios, sólo pensé en divertirme*, y cuando llegaba el día para cobrar iba a sus tiendas y me pagaban mi dinero.

---

[78] nos tomamos = nos comimos.
[79] grandes maravillas = cosas muy bellas, fantásticas, maravillosas.

Un día, que visitaba a uno de estos comerciantes llamado Bendredín, entró una mujer muy elegante* en la tienda y tapada* la cara con un velo*. Se sentó a mi lado y después de un rato me dijo que quería ver unas telas que sólo las tenían en esa tienda.

El comerciante le enseñó muchas, y la mujer señaló una que le gustaba más que ninguna. Le preguntó el precio y mi amigo contestó que cien monedas.

—Está bien —dijo ella—, pero como no traigo todo ese dinero, espero que no le importará que me lleve la tela y traiga el dinero mañana.

—Señora, la tela no es mía, sino de este señor que está aquí —dijo Bendredín señalándome a mí.

—¡Pues quedaos con este trapo*! —dijo la mujer tirando al suelo la rica* tela.

Dicho esto salió muy enfadada de la tienda. Al ver que la mujer se iba, salí detrás de ella y le dije:

—¡Señora, escuchadme! ; quizá haya algún remedio* para que quedemos contentos todos.

Volvió ella a entrar en la tienda, pero, según dijo, sólo para complacerme*.

—Señor Bendredín —dije yo—, ¿cuánto quieres por esta tela?

—Cien monedas. No puedo venderla por menos dinero.

—Entonces, que la señora se la lleve; yo te daré cien monedas más y un recibo por el precio de la tela para que lo unas a las otras mercancías mías.

Y tomando la tela, se la di a la mujer, diciendo:

—Mañana puede mandar el dinero, señora, pero, en premio a este servicio, desearía ver su cara.

Ella levantó el velo y pude ver su rostro*, tan bello que no me cansaría de mirarlo.

No pude dormir en toda la noche y al amanecer me levanté esperando verla de nuevo. Fui a la tienda y al poco rato llegó la bella mujer.

—Traigo el dinero que le debo —dijo dirigiéndose a mí.

Después nos sentamos y le dije el gran amor que sentía por ella. Se levantó como si la hubiese ofendido*. Entonces yo me despedí del comerciante y empezé a andar sin saber a dónde ir. Al volver la cabeza, vi a la esclava de aquella mujer, que me seguía.

—Señor, mi ama quiere verle.

Volvimos a la tienda y, al verme, me pidió que me sentara a su lado.

—Querido amigo, no te asombres de lo que hice, pues estaba delante el comerciante cuándo me confesaste tu amor. No me ofendió, sino que me alegró mucho y me siento feliz de ser amada por un hombre tan virtuoso. Mañana, viernes, espero que vengas a mi casa, que está en la calle de la Devoción.

El viernes me levanté más temprano que de costumbre; me puse mi mejor traje, cogí una bolsa con cincuenta monedas de oro y, montado en un asno, partí hacia su casa.

Cuando llegué allí, pagué al guía* que me había llevado con el asno y le pedí que volviera por mí a la mañana siguiente. Di unos golpes en la puerta y salieron a abrir, llevándome a una sala muy lujosa.

Al poco tiempo, llegó la mujer adornada* con brillantes y perlas, pero lo más bello, lo que más brillo tenía, eran sus ojos. Prepararon una mesa con comida y al lado de aquella bellísima mujer pasé la noche.

A la mañana siguiente, después de dejar la bolsa con las monedas de oro, me despedí de ella, que me preguntó cuándo iba a volver.

—Señora, juro que volveré esta noche.

Así lo hice durante varias noches y siempre dejaba la bolsa con las monedas, hasta que me quedé sin dinero.

En esta triste situación [80], fui al almacén y, al ver va-

---

[80] En esta triste situación=Mala situación, sin dinero.

rias personas reunidas, me acerqué; vi un caballero que llevaba un saco lleno de bolsas con monedas; cogí una sin que me vieran, pero el hombre me vio y me llamó. Cuando le pregunté qué quería, me dio un golpe tan fuerte que me tiró al suelo. La gente preguntó por qué me pegaba.

—La explicación es muy sencilla —dijo—: este hombre me ha robado una bolsa con oro.

Me registraron* y la encontraron. No pude resistir tanta vergüenza y caí al suelo sin sentido. Al abrir los ojos vi que estaba con la policía.

—Joven —me dijo el jefe—, confiesa la verdad.

Me declaré* culpable y mandó que me cortaran la mano, como se hacía con todos los ladrones. Después, el hombre al que había robado, me preguntó por qué lo había hecho. Se lo dije y me regaló la bolsa que había sido la causa de mi desgracia.

El joven de Bagdad terminó su historia diciendo al comerciante cristiano:

—Ya te he contado por qué perdí la mano derecha.

* * *

—¿No es esta historia aún más asombrosa que la del jorobadito? —dijo el ministro.

El rey, lleno de ira, le dijo:

—¿Crees que la historia de un joven lleno de vicios puede ser más interesante que la del jorobadito? Mandaré que te ahorquen.

Al oír esto, el criado del rey le dijo:

—Señor, te ruego que primero escuches mi historia, que es mucho más asombrosa que la del jorobadito.

—Cuéntala —dijo el rey.

* * *

Una vez más llegó el día y Scherezade calló. El rey, su esposo, le preguntó si seguiría contando la historia a la noche siguiente. Scherezade lo prometió muy feliz al ver que ya no iban a cortarle la cabeza. Diznarda despertó a Scherezade a la hora acostumbrada, y comenzó esta historia:

HISTORIA DEL CONVIDADO*

En el reinado del rey Haroun-Al Rachid, mi padre era uno de los comerciantes más ricos de toda la ciudad de Bagdad, donde yo nací. Pero como era un hombre al que gustaban mucho los placeres de todas clases, descuidaba* sus negocios y, cuando murió, no quedaba nada de su gran fortuna, dejando además muchas deudas*, que tuve que pagar. Poco a poco fui haciendo mis negocios y reuniendo algún dinero hasta que tuve una tienda.

Una mañana, al abrir mi tienda, entró una bella mujer y me pidió que le dejase descansar un rato. Dejé que lo hiciera y me dijo que quería comprar algunas telas de las más caras*. Me preguntó si yo las tenía.

—Señora, yo soy un pobre comerciante y no tengo aún dinero para tener esas telas tan caras*. Siento mucho no tenerlas; sin embargo, sí puedo buscarlas.

Así lo hice y compré telas por valor de cinco mil monedas. La mujer vino por ellas, se despidió de mí con mucha amabilidad y se fue acompañada por un eunuco. Cuando me di cuenta, la mujer se había ido sin pagarme y yo debía* a los comerciantes mucho dinero por aquellas telas.

Un día, mientras estaba pensando en aquella mujer, a la que yo amaba, y cómo iba a pagar ese dinero que debía, entró de nuevo en mi tienda y me dijo:

—Toma el dinero de las telas que me llevé.

Tomé el dinero, se calmaron mis dudas y fue más grande mi amor por ella. La mujer le dijo al eunuco:

—Emplea toda tu habilidad para hacer mi encargo.

El eunuco se echó a reír y, llevándome aparte, me dijo:

—Ya sé que amas a mi ama, pero me sorprende que no se lo digas. Ella también te ama y sólo viene aquí para verte.

Después se marcharon diciéndome que el eunuco volvería a la tienda para hablar conmigo.

Pagué a cada comerciante lo que les debía por las telas y esperé con gran impaciencia a que volviera el eunuco. Al fin, un día vino y me dijo:

—Eres muy afortunado; mi ama está enferma* de amor y vengo de su parte [81] a pedirte que te cases con ella. Es la favorita de Zobeida, la esposa del rey, y mi ama le ha dicho que desea casarse, pero antes quiere que Zobeida te conozca.

Acompañé al eunuco al palacio, pero como en esas habitaciones de las mujeres no dejaban entrar a los hombres, el eunuco me pidió que fuera a la Mezquita* y que le esperara allí.

Al anochecer, fui hacia la Mezquita, lleno de impaciencia. Desde allí vi llegar un barco del que bajaron varios cofres. Llegaron también el eunuco y la bella mujer. Con ellos iban unos criados que llevaron los cofres a la Mezquita.

—No hay tiempo que perder [82] —me dijo la joven.

Me ordenó meterme en uno de los cofres, obedecí y el eunuco mandó que llevasen de nuevo los cofres al barco.

Embarcó luego la mujer y los marineros se dirigieron hacia el palacio de Zobeida. Cuando el barco llegó hasta la puerta, se oyó una voz, que gritaba:

—¡El rey, el rey!

Al oírlo, pensé que iba a morir de miedo [83].

---

[81] vengo de su parte=en su nombre.
[82] No hay tiempo que perder=Muy de prisa, con rapidez.
[83] morir de miedo=tener mucho miedo, estar aterrorizado.

—¿Qué llevas en esos cofres? —preguntó el rey a la favorita.

—Son telas que quiere ver tu esposa, señor.

—Y yo también —dijo el rey—, abrid los cofres.

La mujer abrió uno y le enseñó tela por tela [84], con el fin de que se cansase y no quisiera ver más.

El rey se cansó, señaló el cofre en que yo estaba y dijo que lo abriera.

—Señor —dijo la mujer—, te pido que no me hagas abrir éste, si no está tu esposa para verlo.

—Bueno —dijo el rey—, puedes llevarlo a sus habitaciones.

Cuando lo llevaron allí, la mujer lo abrió con rapidez y, cogiendo un cuchillo, me cortó los dedos pulgares* de las manos y de los pies. Lleno de dolor, perdí el sentido y, cuando me recuperé*, vi que me estaban curando.

—Señora —dije entonces—, ¿por qué has hecho esto?

Ella contestó que para salvarme de la ira y los celos del rey, ya que, cuando viera que no tenía dedos pulgares y conociendo la repugnancia de su esposa, Zobeida, por los hombres deformes*, no sospecharía de ella.

Después me presentó a Zobeida y con su consentimiento* nos casamos. Al poco tiempo se curaron mis heridas; me quedé sin dedos pulgares, pero siendo el esposo de una bellísima mujer y muy rica, por lo que pronto olvidé la falta de mis dedos.

* * *

—Ahora, señor —dijo el criado del rey—, ya conoce la historia del convidado a la boda en la que estuve ayer.

—Es muy interesante —dijo el rey—, pero no tanto como la del jorobadito.

---

[84] tela por tela=una a una.

Entonces se acercó el médico y, arrodillándose delante del rey, le dijo:

—Señor, puesto que te gustan tanto las historias, quisiera contarte una.

—La escucharé con gusto, pero, si no es más interesante que la del jorobadito, te mandaré ahorcar.

* * *

Scherezade vio que todavía tenía tiempo antes de que amaneciera y continuó contando la historia siguiente:

HISTORIA CONTADA POR UN MÉDICO JUDÍO

Cuando yo estudiaba Medicina, en la ciudad de Damasco*, me llamaron para ver a un enfermo, en casa del Gobernador* de esta ciudad. El enfermo era un joven muy bello, pero cuando le iba a tomar el pulso*, en vez de darme la mano derecha me dio la izquierda, y poco tiempo después vi que le faltaba la mano derecha. Un día, cuando paseábamos por el jardín del Gobernador el joven y yo, le pregunté el motivo.

—He nacido en Mosul* —dijo—, en una de las mejores familias de la ciudad y fui muy bien educado*, con buenos maestros.

Mi padre y mis tíos, que eran comerciantes, pensaron en hacer un viaje por Egipto, por la orilla* del río Nilo*.

A mí siempre me gustaron los viajes; pedí a mi padre que me llevara con él y me diera una parte de su negocio. Me dijo que sí, pero que debía quedarme en Damasco, mientras mis tíos seguían en Egipto durante unos días más. Atravesamos Mesopotamia y el río Éufrates y llegamos a Damasco, donde yo me quedé, según le había prometido a mi padre.

79

Vivía en una gran casa disfrutando del dinero ganado hasta entonces y además tenía una pequeña tienda.
Una mañana llegaron dos mujeres jóvenes de la ciudad para hacer unas compras. De repente, a una de
ellas le dieron grandes dolores y murió en mis brazos*.
La otra salió corriendo y yo sospeché que la había
envenenado*. Asustado, temiendo que me culparan a mí,
enterré a la joven en el jardín de mi casa. Después
cerré las puertas y salí hacia El Cairo para buscar a
mis tíos, con el pretexto* de hablar de negocios ur-
gentes*.

Estuve en El Cairo durante tres años y después volví
a Damasco, encontrando mi casa como yo la había dejado.

En la sala, encontré un collar* que llevaba puesto
aquella joven cuando murió en mis brazos y, como yo
necesitaba dinero, me fui a venderlo.

Estuve en casa de un joyero*, que me daba cincuenta
monedas, aunque él sabía que valía más de dos mil.

El joyero se fue a la calle, diciendo que iba a buscar el dinero a la tienda de enfrente*, pues no lo tenía
todo, y cuando volvió venía con un policía. Le dijo
que el collar que yo quería vender hacía más de tres
años que se lo habían robado.

El policía ordenó que me diesen cien palos para
que confesase la verdad; fue tanto el dolor, que acabé
declarándome culpable de un robo que no había cometido, y en castigo me cortaron la mano derecha.

Odiado por todos, y sin atreverme a volver a Mosul, donde había nacido, me quedé solo en mi casa de
Damasco. Al cabo de tres días llegaron varios policías,
con orden del Gobernador de llevarme a su palacio. Cuando me vio, me preguntó por la joven dueña de aquel
collar, que era una de sus hijas y hacía más de tres
años que había desaparecido. Conté al Gobernador todo
lo que había pasado, con la sencillez que sólo tiene la
verdad.

El Gobernador me creyó y, convencido de mi inocencia, me dijo:

—Hijo mío, permíteme que desde hoy te llame así. He sido el padre más desgraciado del mundo, pues la mayor de mis hijas, por celos, envenenó a su hermana, que murió en tu casa. Ahora, ella ha confesado su crimen antes de morir. Tengo otra hija, que, si la quieres, te la doy [85] para que te cases con ella. En cuanto al joyero, por haberte denunciado sin estar seguro [86], le quitaré todos sus bienes y te los daré a ti como dote para la boda.

A los pocos días me casé con la hija del Gobernador, que es una joven bellísima. Vivo feliz con la herencia* de mi padre y de mis tíos, que murieron hace poco tiempo en Mosul.

* * *

—Ésta es la historia del joven —continuó el médico judío— que perdió su mano derecha.

—Muy bien —dijo el rey—, pero el cuento no es tan divertido como el del jorobadito, y no tengo motivo para perdonarte la vida.

—Señor —dijo el sastre—, yo puedo contarte una que sin duda te gustará.

Y empezó su cuento, seguro de su éxito*.

* * *

Scherezade, a la noche siguiente, dijo a su esposo, el rey:

—Señor, el sastre empezó así la historia del joven cojo, esperando que al rey le gustara más que la historia del jorobadito, que hasta entonces era la que más le había divertido:

---

85 te la doy=ofrecer en matrimonio, para casarse.
86 sin estar seguro=sin tener la certeza de algo, sin seguridad.

HISTORIA DEL JOVEN COJO

Uno de mis amigos me invitó a comer con él y con otras personas. Entre ellas estaba un joven cojo y un barbero* de la ciudad. En cuanto [87] el cojo vio al barbero, pidió permiso para no asistir a la comida. Nos dijo que aquel hombre era la causa de su cojera.

Todos le pedimos que nos contara su historia y comenzó a contarla sin mirar al barbero.

—Mi padre —dijo— vivía en Bagdad. Como tenía mucho dinero y aunque le ofrecieron puestos en la corte*, prefirió vivir tranquilo en su casa. No tuvo más hijos que yo y a su muerte me dejó grandes riquezas.

Un día, estando en la calle, vi que venían hacia mí muchas mujeres y para no tropezar con ellas me puse al lado de una puerta. Delante de mí había una ventana, llena de flores, se abrió y apareció una bella joven. Me miró al mismo tiempo que tomaba unas flores, y su mano era tan blanca y tan bella como el alabastro*. Luego me sonrió y, cuando se cansó de mirarme y sonreír, cerró la ventana, pero yo me quedé allí sin saber qué hacer. Volví a mi casa y me acosté en seguida, con una fiebre [88] muy alta. Mis familiares me preguntaron qué me pasaba y no sabían qué hacer para curarme.

Estaba a punto de morir [89], cuando una vieja llegó, me miró y en seguida supo qué tenía. Cuando todos se fueron de la habitación, la vieja, sentándose en la cama, a mi lado, me dijo:

—Hijo mío, no quieres decir la causa de tu enfermedad, pero yo sé que estás enfermo de amor. Yo puedo curarte si me dices el nombre de ella.

---

[87] En cuanto=En el mismo momento.
[88] con una fiebre muy alta=con mucha fiebre.
[89] Estaba a punto de morir=Muy grave, cerca de la muerte.

Tanto me preguntó la vieja que acabé por decírselo y le conté lo que me había pasado.

—Hijo mío, conozco a esa joven de quien me hablas; es hija del Gobernador de la ciudad. No me sorprende que estés enamorado de ella, pues es la joven más bella de todo el país. Sin embargo, no es fácil que ella te ame, pues nunca hace caso [90] a ningún joven, pero yo haré todo lo que pueda para conseguirlo. Mientras tanto, no te desanimes* y levántate de la cama.

La vieja volvió a verme al día siguiente. Dijo que había ido a ver a la joven y le había contado mi tristeza y mi enfermedad.

—Me escuchó con gusto mientras hablaba —me dijo la anciana—, pero cuando dije que querías verla, me contestó: «Eres demasiado atrevida al decirme eso», y me echó de su casa. Pero yo no me desanimo tan fácilmente y, aunque sé que me va a ser difícil, acabaré por conseguir lo que deseo. Hijo mío —siguió diciendo la vieja—, no morirás de ésta [91] y espero que pronto estarás curado.

Otro día que volvió a verme me dijo:

—Ayer volví a casa de la joven y estaba muy contenta; entonces, yo hice como que [92] estaba muy triste y empecé a llorar.

—¿Qué te pasa, abuela [93]? —me preguntó—, ¿por qué estás tan triste?

—Señora —le dije—, vengo de casa del joven de quien te hablé y el pobre está a punto de morir; ¡qué pena me da el saber que es por tu causa [94]!

—Bueno —me dijo—, dile que venga a verme; pero

---

[90] pues nunca hace caso=no presta atención a nadie.

[91] no morirás de ésta=saldrás con vida, te salvarás, te curarás.

[92] yo hice como que estaba triste=fingí estar triste.

[93] ¿Qué te pasa, abuela?=Expresión cariñosa para dirigirse a una persona anciana.

[94] saber que es por tu causa=que es por tu culpa, que eres culpable.

que no espere nada de mí, ni piense ser mi esposo si mi padre no quiere. Que venga el viernes a mediodía, que se acerque a la puerta y, cuando se vaya mi padre, bajaré a abrirle.

—Hoy es miércoles —me dijo la vieja—, así que aún quedan dos días para que te prepares.

Mientras la vieja hablaba, yo noté que me encontraba mejor de mi enfermedad y, cuando terminó de hablar, ya estaba bien del todo.

—Tomad —le dije.

Y le di una bolsa llena de oro.

El viernes por la mañana llegó la vieja mientras me vestía. Me preguntó si no me lavaba. Dije que no, pues tardaría mucho tiempo, pero que llamaría a un barbero para que me afeitase* y me cortase el pelo.

El esclavo a quien envié volvió con este desgraciado barbero que está aquí hoy, el cual, después de saludarme, me dijo:

—No parece que tenga buena salud.

—Así es —contesté—; he tenido una larga enfermedad.

—He traído las navajas y los instrumentos*. Espero que me diga si quiere afeitarse o cortarse el pelo.

—Afeitarme nada más —dije—, y rápidamente, que tengo prisa: a las doce tengo que salir.

Luego el barbero se puso en medio del patio y, mirando al cielo, dijo:

—Hoy es un buen día para afeitarle, pero algo me dice [95] que corre usted peligro de tener algún accidente* y que le quede un defecto* para toda la vida.

—No le he mandado llamar para que me hable de supersticiones*. Deseo que me afeite —dije—, y, si no lo hace deprisa, mandaré llamar a otro barbero.

—Será difícil que encuentre un barbero que sea mé-

---

[95] algo me dice=sensación de que algo va a ocurrir, presentimiento, intuición, corazonada.

84

dico como yo, además de arquitecto*, filósofo*, astrólogo*, gramático*, historiador*, poeta* y novelista*.

—Pues todos esos títulos —le respondí— no impiden que sea un charlatán*, que acaba con la paciencia
de cualquier persona.

—Pues tengo seis hermanos más —dijo—, que ésos
sí que hablan, no yo, que soy un hombre silencioso.

El joven, sin poder aguantar* más, le dijo a un esclavo que le diera unas monedas y le echara a la calle.

—He venido a esta casa por deseo suyo y no me iré
de ella hasta que no le haya afeitado —exclamó el barbero.

Me puso la cara llena de jabón y cuando iba a afeitarme se detuvo.

—Después de tan larga enfermedad, ¿va a salir a la
calle? Quédese en casa tranquilo* y, en vez de ir a ver
a esa joven, venga a mi casa, que tengo invitados.

De repente, dijo:

—¡Pero si aún no he comprado la comida!

Yo, para que estuviese quieto* y terminase de afeitarme, mandé a mis criados que compraran lo que hiciese
falta para su comida. Cuando volvieron los criados y
vio la comida, se puso a mirarla, con tanta tranquilidad
que me hizo perder otra vez la paciencia y empecé
a gritar. Pero él no se enfadaba y volvió a pedirme que
fuera a comer a su casa. Entonces le di muchos golpes al mismo tiempo que le echaba por las escaleras
abajo.

Me vestí deprisa y salí a la calle. Al llegar a la casa
del Gobernador, vi al barbero que me estaba esperando,
escondido* en una puerta.

Cuando entré en la casa, mientras hablaba con la joven, llegó su padre, el Gobernador, dando golpes a un
esclavo, que gritaba de dolor.

El barbero creía que era a mí a quien estaba pegando
y fue a mi casa corriendo para avisar a todos mis

criados, que llegaron con palos a casa del Gobernador para ayudarme.

Asombrado el Gobernador y sin comprender qué hacía esa gente en su casa, salió a ver qué pasaba. Los criados, insultándole, le dieron con los palos y luego me buscaron por toda la casa hasta que me encontraron. Tropecé en las escaleras y me caí rodando. Me rompí una pierna, pero, a pesar del dolor que sentía, eché a correr para huir del barbero. Cuando llegué a mi casa, ordené a mis criados que cerrasen las puertas y que no le dejasen entrar ni de noche ni de día.

Cuando arreglé mis negocios y me curé la pierna, cerré mi casa, abandoné a mi familia, mi pueblo y mi patria, por miedo a que volviera el barbero, que era mi pesadilla*.

—Señores, ustedes me dirán si no tengo razón al querer marcharme de aquí cuando le he visto.

Al terminar de decir estas palabras, el joven se levantó y se fue hacia la puerta acompañado por el dueño de la casa.

—Cuando el joven se fue —continuó el sastre—, nos quedamos muy asombrados con la historia. Miramos al barbero y le dijimos que, si era verdad lo que habíamos oído, él era culpable de todo lo ocurrido a aquel joven.

—Señores —nos dijo levantando la cabeza, que hasta entonces había tenido baja—, mi silencio, mientras hablaba el joven, es la prueba de que es verdad todo lo que ha contado. Pero yo sólo hice lo que pensé era mejor, pues, si no, en vez de una pierna rota hubiera salido de aquella casa muerto. Dice que soy hablador, charlatán, pero de siete hermanos que tengo yo soy el que menos habla y el que más sabe. Para que vean que es verdad, les voy a contar mi historia.

HISTORIA DEL BARBERO

En el país de un rey, famoso por las limosnas que daba a los pobres, había diez ladrones por los caminos de Bagdad que cometían muchos robos y asesinatos y tenían aterrorizado al país.

Enterado el rey, llamó al juez pocos días antes de las fiestas de la ciudad, le mandó que los buscara y los encarcelara a todos. El juez preparó a todos sus hombres para buscarlos y al día siguiente los encontraron, llevándolos prisioneros.

Por casualidad, ese día estaba yo paseando por la orilla del río y vi a diez hombres, bien vestidos, que se subían en una barca. Si me hubiera fijado [96], hubiera visto que los acompañaba un guardia, pero pensé que iban a divertirse y a pasar el día de fiesta en algún banquete, y entré en la barca esperando hacer amistad con ellos durante el paseo. Bajamos por el río y desembarcamos delante del palacio del rey. Fue entonces cuando me di cuenta de mi equivocación.

Al salir de la barca, nos rodearon más policías, que nos llevaron delante del rey. Me dejé atar sin decir nada, pues no me hubieran hecho caso, aunque hubiera gritado que yo no era un ladrón. Lo único que habría logrado es que me tratasen peor sin escucharme siquiera. Yo estaba con los ladrones y eso era suficiente para creer que era uno de ellos.

Cuando estuvimos delante del rey, mandó que castigaran a los diez ladrones.

—Que les corten la cabeza —dijo.

En seguida, el verdugo nos puso uno detrás de otro y yo tuve la suerte de quedarme el último. Les cortó la cabeza, empezando por el primero, y cuando llegó a

---

[96] Si me hubiera fijado=Si hubiese mirado mejor, verlo con más detenimiento.

mí, se quedó parado. El rey, al ver·que se paraba, se enfadó.

—¿No te he mandado que cortes la cabeza a los diez ladrones?, ¿por qué sólo se la cortas a nueve?

—Señor —dijo el verdugo—, Dios me libre de no cumplir vuestras órdenes. Aquí están los diez cadáveres y las diez cabezas cortadas.

El rey las contó y vio que era verdad. Me miró asombrado y, como no le parecí un ladrón, me dijo:

—Buen hombre [97], ¿qué haces aquí?

—Señor —le respondí—, esta mañana vi que esos hombres entraban en una barca y me metí con ellos pensando que iban a celebrar el día de fiesta.

El rey se rió mucho con mi aventura y, al contrario de ese joven cojo, se admiró de mi silencio.

—Señor —le dije—, no te extrañe que me haya callado a pesar del gran peligro que he pasado, pues yo tengo esta virtud para ser diferente de mis hermanos. Mi felicidad es ser un hombre silencioso.

—Me parece bien —dijo el rey—, ¿pero cómo son tus hermanos?

—Todos ellos son muy habladores, señor —contesté al rey.

—Verdaderamente eres muy silencioso, pero yo te pido que te vayas de mi país, pues tengo miedo de volver a encontrarte y cometer una injusticia contigo por no hablar a tiempo.

Obedecí al rey y pasé muchos años viajando hasta que me enteré de que el rey había muerto. Entonces volví´a Bagdad y fue cuando conocí a este joven y le ayudé.

*   *   *

---

[97] Buen hombre = Expresión de saludo que indica familiaridad, poco usada actualmente.

Después de que Scherezade contó esta historia a su esposo, el rey Chariar, y viendo que se estaba haciendo de día, dejó de hablar, pero le prometió que, si vivía una noche más, le contaría una nueva y preciosa historia.

El rey miró con amor y admiración a su bella esposa, y también le prometió que escucharía con mucho interés la próxima historia.

Llegó la noche y, antes de amanecer, Diznarda despertó a su hermana para que pudiera contar la historia de Alí Babá y los cuarenta ladrones.

HISTORIA DE ALÍ BABÁ Y LOS CUARENTA LADRONES

En una ciudad persa vivían dos hermanos; uno se llamaba Casín y el otro Alí Babá. Casín se casó con una mujer muy rica, pero Alí Babá lo hizo con una mujer muy pobre, y vivían cortando leña, que luego vendían en la ciudad.

Un día, que estaba cortando leña en el bosque, vio unos hombres a caballo, que iban hacia donde estaba él. Aunque en Persia no hay muchos ladrones, Alí Babá pensó que esos hombres lo eran, y se escondió detrás de un árbol. Eran cuarenta hombres altos y fuertes con grandes cuchillos. Cuando llegaron cerca del árbol, se bajaron de los caballos y dejaron en el suelo unos sacos*. Alí Babá vio que estaban llenos de oro.

Uno de los ladrones, que parecía el capitán, se acercó a una roca y dijo:

—¡Sésamo*, ábrete!

En seguida se abrió una puerta en la roca y se cerró cuando todos los hombres estuvieron dentro.

Alí Babá esperó a ver qué pasaba, sin atreverse a salir de detrás del árbol. Al poco rato salieron los ladrones, y dijeron:

—¡Sésamo, ciérrate!

Y la puerta se cerró al momento [98]. Luego, con los sacos vacíos, se montaron en sus caballos y se marcharon.

Cuando Alí vio que desaparecían, salió de su escondite* y repitió las palabras que había oído al jefe de los ladrones. Al momento, la puerta se abrió y, en vez de entrar en una cueva oscura, como Alí esperaba, encontró una habitación llena de luz, con telas de seda, oro y piedras preciosas por el suelo. Alí Babá sacó de la cueva y cargó todo lo que pudo sobre sus asnos. Salió de allí y dijo las palabras mágicas para que se cerrara la puerta de la roca.

Cuando llegó a su casa, le contó todo esto a su mujer y luego le pidió que le ayudara a enterrar el tesoro que había cogido de la cueva. Pero la mujer quiso saber cuánto oro tenían; Alí Babá le dijo que otro día tendría más tiempo para contarlo, pero no le hizo caso y fue por un peso* a casa de Casín, el hermano de Alí.

Como Alí Babá y su mujer eran tan pobres, les extrañó que les pidieran un peso, pues nunca tenían nada que pesar. Sin embargo, la mujer de Alí no contestó ninguna de las preguntas que le hicieron, pero era tanta la curiosidad que tenían, que la mujer de Casín puso un poco de grasa* en el fondo del peso, para que algo de lo que pesaran se quedara pegado. Cuando se lo devolvieron, en el fondo del peso se encontraron una moneda de oro.

Casín y su esposa no podían explicarse de dónde lo habían sacado y, llenos de envidia, fueron a preguntárselo. Alí Babá, al verse descubierto, le contó todo a su hermano y le dijo las palabras mágicas para abrir la roca.

Casín, que era muy avaro, al amanecer se fue al bosque con diez sacos y diez cofres. Al llegar delante de la roca, dijo:

---

[98] se cerró al momento=inmediatamente, con rapidez.

— ¡Sésamo, ábrete!

Y la puerta se abrió. Entonces Casín entró, cerrándose inmediatamente. Al ver tanta riqueza, no sabía por dónde empezar [99]. Cargó todo lo que pudo sobre los asnos y, cuando iba a salir por última vez, olvidó las palabras mágicas y la puerta no se podía abrir.

Poco después los ladrones volvieron a la cueva con nuevos sacos y, al ver en la puerta los asnos de Casín, entraron con las armas preparadas. Cuando vieron al asustado Casín, y sin darle tiempo a gritar, le mataron. Luego quitaron los sacos de los asnos y volvieron a meter el oro en la cueva, sin darse cuenta de que faltaba el oro que se había llevado Alí Babá.

En seguida se pusieron a pensar cómo había podido entrar aquel hombre en la cueva; algunos pensaron que por un agujero que había en el techo, por donde entraba la luz, pero no podía ser, porque estaba muy alto. Pensaron entonces que alguien los había visto y les había oído decir las palabras mágicas.

Los ladrones cortaron el cuerpo del pobre Casín en cuatro trozos y los clavaron en la puerta, para que la gente* los viera y no se atreviesen a entrar.

Mientras tanto, la mujer de Casín, al ver que tardaba mucho su marido, fue a ver a Alí Babá; le contó que se había ido al amanecer, que era casi de noche y, como no había vuelto, creía que algo [100] le había pasado.

Alí Babá le dijo que esperase a que la noche estuviera más oscura, pues a lo mejor Casín estaba esperando para que no le vieran cuando entrara en la ciudad.

La mujer, más tranquila, esperó, pero, al ver que llegaba la noche y no volvía, empezó a llorar, pensando que algo le había ocurrido a su marido.

Alí Babá, muy preocupado* por la tardanza de Casín, fue hasta la cueva, donde vio lo que habían hecho

---

[99] por dónde empezar=qué llevarse primero.
[100] creía que algo=pensaba que alguna cosa.

con su hermano. Recogió los trozos de su cuerpo en un saco y, después de llorar por su muerte, cargó otra vez sus asnos con oro y se marchó.

Cuando llegó a su casa, dejó los sacos con el oro y fue a casa de la mujer de su hermano con el saco que llevaba el cadáver de Casín.

—Margiana —dijo a la esclava que le abrió la puerta—, es necesario que guardes el secreto [101] de lo que vas a ver. Aquí traigo el cuerpo de tu amo hecho trozos, pero lo enterraremos como si estuviera entero y acabara de morir. Avisa a tu ama y luego te diré lo que haremos.

Margiana era una bellísima y joven esclava, muy inteligente. Avisó a su ama y Alí Babá contó a su cuñada* lo ocurrido.

—La desgracia ya está hecha [102], pero, para consolarte, he traído un saco lleno de oro, y también quiero que seas mi mujer. A la esposa que tengo ahora no le parecerá mal [103]. Tenemos que arreglar la muerte de Casín para que parezca una muerte natural [104].

La mujer de Casín se puso muy contenta, pues no sólo su marido le había dejado una gran fortuna, sino que le ofrecían más riquezas y un nuevo matrimonio. Dejó de llorar la muerte de su marido, que hasta entonces había amado tanto, y pensó en los nuevos proyectos.

Alí Babá habló con la esclava sobre lo que tenía que hacer, después montó en su asno y se fue a su casa.

Margiana, la esclava, en cuanto Alí Babá se fue, se dirigió a casa de un boticario* y le pidió una medicina muy buena para todas las enfermedades. El boticario le preguntó que quién estaba enfermo.

---

[101] guardes el secreto=no se lo digas a nadie.
[102] La desgracia ya está hecha=El mal ya está hecho.
[103] no le parecerá mal=no le importará, le parecerá bien.
[104] muerte natural=morir por enfermedad o vejez.

—¡Ay! —dijo Margiana—, es mi amo Casín, que está tan enfermo que ya ni habla. ¡Pobre amo mío, qué enfermedad tan terrible!

Se marchó la esclava y al poco rato volvió. Pidió otra medicina que sólo se daba a los enfermos que se estaban muriendo.

—¡Ay! —dijo Margiana—, no sé si podrá curarle esta medicina, pues quizá esté ya muerto.

Como al mismo tiempo todos los vecinos veían a Alí Babá y a su mujer llorando, pensaron que todo era verdad y no les sorprendió cuando, al anochecer, les dijeron que Casín había muerto.

Margiana fue a casa de un viejo zapatero* que tenía su tienda en la plaza y le puso una moneda de oro en la mano.

—¡Buen negocio! —dijo el viejo mirando la moneda—, ¿de qué se trata?

—Mustafá —dijo Margiana—, toma tus herramientas para trabajar y ven conmigo.

Cuando el viejo cogió todo lo necesario, la esclava le tapó los ojos. Mustafá fue con la joven y, cuando llegaron a la casa de Casín, le destapó los ojos y entraron.

Mustafá cosió todos los pedazos del cuerpo de Casín y, cuando terminó, le dieron otra moneda de oro, volviéndole a llevar a su casa con los ojos tapados.

Después lavaron y perfumaron el cadáver de Casín. Margiana llevó al carpintero* con la caja* donde iban a meter el cuerpo y fue a la mezquita a decir que ya podían enterrar a su amo.

Alí Babá y la esposa de Casín lloraron durante cuatro días; luego Alí trasladó* todas sus cosas, a su mujer y a su hijo a casa de su hermano y celebraron su nueva boda, que no sorprendió a nadie, pues entre los musulmanes están permitidos varios matrimonios al mismo tiempo.

Mientras Alí Babá se casaba con la viuda de su hermano, los ladrones descubrieron que les habían robado otra vez y comprendieron que alguien sabía su secreto.

Dispuesto a matar a quien les robaba, de la misma manera que a Casín, mandaron a uno de ellos a la ciudad, para saber si se hablaba de la muerte de alguna persona y así saber quién era el que ellos habían matado. El ladrón, por casualidad, vio a Mustafá, el zapatero, que estaba trabajando en su tienda, aunque era ya casi de noche. Habló con él, asombrado de que viese tan bien a pesar de lo viejo que era y la poca luz que allí había.

—Aunque me veas tan viejo —dijo—, tengo muy buena vista, y no hace mucho tiempo cosí a un muerto en una habitación con menos luz que ésta.

El ladrón comprendió de quién hablaba y muy contento le dio dos monedas de oro para que siguiera hablando. Pero el zapatero sabía muy poco; sólo que le habían llevado a un sitio, con los ojos tapados, y que, cuando cosió al muerto, le llevaron de nuevo a su tienda, con los ojos también tapados.

El ladrón le dijo que le taparía los ojos de nuevo, para que pudiera recordar el camino que había hecho la otra vez. Así lo hicieron y, cuando llegaron, no muy lejos de la tienda, el viejo se paró.

—Me parece que fue por aquí —dijo.

El ladrón le destapó los ojos. Estaban enfrente de la puerta de Casín.

—¿Quién vive aquí? —preguntó el ladrón.

Mustafá dijo que él no lo sabía. Entonces el ladrón dibujó una cruz en la puerta, para no equivocarse cuando volviera, y se marchó al bosque a contar a sus compañeros que ya había encontrado la casa de las personas que sabían su secreto para entrar en la cueva.

Margiana, la esclava, salió muy temprano* para hacer

las compras de la casa [105]; vio la cruz pintada en la puerta y, como era muy lista, en seguida se dio cuenta de que aquel dibujo era una señal que alguien había puesto para saber y diferenciar la casa. Estuvo pensando qué podía hacer y decidió dibujar una cruz en todas las puertas de las casas del barrio*.

Cuando los ladrones volvieron por la noche, vieron que todas las puertas estaban igual, con una cruz. Se marcharon otra vez al bosque y volvió el capitán de los ladrones dispuesto a saber qué casa era. Esta vez no pintó ninguna señal en la puerta, sino que se fijó bien dónde era para que no se le olvidara y volvió al bosque. Ordenó que compraran veinte mulas y cuarenta pellejos*, uno lleno de aceite y los demás vacíos.

A los tres días estuvo todo preparado. El capitán dijo que cada ladrón se metiera dentro de un pellejo, dejando una pequeña abertura* para poder respirar y salieron camino de la casa de Alí Babá.

Cuando llegaron allí, el capitán, vestido de vendedor de aceite, pidió el favor de pasar allí la noche y dejar los pellejos con las mulas en el patio.

Alí Babá no reconoció al capitán de los ladrones por ir disfrazado, así que le dejó pasar a su casa.

El capitán arregló sus pellejos y aprovechó la ocasión para decir a sus hombres, en voz baja, que estuviesen preparados para cuando él les avisase.

Después de la cena, se fue a la habitación que le habían preparado para dormir y Alí Babá se acostó también temprano, para ir al baño público al día siguiente, como tenía por costumbre.

Margiana, en la cocina, se puso a preparar el caldo* que tomaba su amo cuando volvía del baño, pero se apagó la lámpara* por falta de aceite. No lo había en casa, ni era hora de ir a la tienda a buscarlo. Entonces

---

[105] compras de la casa=las cosas que se necesitan diariamente en una casa, alimentos, etc.

se acordó de que el hombre que estaba en la casa aquella noche era vendedor de aceite y pensó que no le importaría si bajaba al patio y cogía un poco de un pellejo.

Bajó con una jarra* y se acercó al primer pellejo que encontró. Oyó la voz del ladrón que estaba dentro, que decía:

—¿Es la hora ya, mi capitán?

Margiana, sin asustarse ni gritar, como lo hubiera hecho otra mujer menos inteligente, comprendió en seguida el peligro que corría la familia y respondió en voz baja:

—Todavía no, pero pronto llegará.

Se acercó a todos los pellejos que estaban un poco abiertos para que los ladrones respiraran mejor, y todos hicieron la misma pregunta, Margiana a todos les respondió igual.

Cuando encontró el único pellejo que tenía aceite, lo cogió y lo subió a la cocina, con un gran esfuerzo, pues pesaba mucho.

Encendió un gran fuego, puso a calentar una enorme caldera* llena de aceite y, cuando empezó a hervir*, bajó la caldera al patio y fue echando en cada uno de los pellejos el aceite hirviendo para matar al ladrón que había dentro.

A media noche, el capitán bajó al patio y llamó a sus hombres, pero ninguno contestó.

Margiana, escondida detrás de una puerta, vio cómo el capitán miraba dentro de los pellejos, encontrando los cadáveres de los ladrones. Al verse descubierto, salió huyendo.

Fácil es comprender la sorpresa de la familia cuando, a la mañana siguiente, se enteraron de todo lo que había ocurrido. Todos admiraban la inteligencia de Margiana y Alí Babá dejó libre a la esclava, como premio al servicio que les había hecho, salvándoles la vida a todos.

En el jardín de la casa, que era muy grande, enterraron los treinta y nueve cuerpos de los ladrones, y los asnos los vendieron en la ciudad. Mientras, el capitán, solo y sin saber qué hacer en su cueva, pensaba la manera de matar a aquella familia que tanto daño le había hecho.

Pasado algún tiempo, el capitán se fue a la ciudad, puso una tienda muy lujosa y dijo que se llamaba Hassan. La tienda estaba enfrente de otra tienda que tenía el hijo de Alí Babá. Con mucha habilidad se hizo amigo del joven, hasta conseguir que le invitase una noche a cenar en su casa.

Alí Babá recibió con mucho cariño al amigo de su hijo. Se sentaron a la mesa y el capitán pidió que le perdonaran si no comía los alimentos que tenían sal, pues estaba algo enfermo. Alí Babá le dijo que el pan de su casa no se hacía con sal y que además diría a su sirvienta, Margiana, que preparase toda la comida sin sal.

Cuando Margiana recibió esta orden, por curiosidad quiso conocer al invitado y entró en el comedor*. En seguida reconoció al capitán de los ladrones y vio que llevaba un cuchillo escondido en el cinturón.

Empezaron a cenar y el capitán quiso emborrachar a Alí Babá y a su hijo para poder matarlos, pero Margiana, que estaba dispuesta a salvar a sus amos, se vistió de bailarina y pidió permiso para bailar delante del invitado.

La joven empezó a bailar unas danzas muy alegres, con tanta gracia* que todos estaban admirados de su belleza y habilidad para el baile. Luego sacó un cuchillo con el que daba rápidas vueltas mientras bailaba. En una de estas vueltas, se acercó al capitán y le clavó el cuchillo en el corazón dejándole muerto.

Alí Babá y su hijo dieron un grito, creyendo que Margiana se había caído mientras bailaba, clavando el cuchillo, sin querer, al invitado. La joven en seguida les dijo por qué lo había hecho. Llenos de alegría, abrazaron a Margiana y Alí Babá le dio a su hijo por esposo, por haberle salvado la vida dos veces.

Enterraron el cadáver del capitán en el jardín, junto a los otros ladrones, celebraron la boda de Margiana y el hijo de Alí Babá y a nadie le dijeron el verdadero motivo de esta boda.

Pasado mucho tiempo, Alí Babá fue a la cueva y, después de decir las palabras mágicas, la puerta se abrió. Vio que no había entrado nadie, pues todo estaba en el mismo sitic que la última vez que él estuvo allí.

Disfrutaron* sin avaricia el tesoro de los ladrones y un día Alí Babá, pensando que podía morir, pues era ya muy viejo, contó el secreto de la cueva a su hijo, para que él se lo dijera después a sus hijos, ya que el tesoro era tan grande que había para todos.

* * *

Scherezade terminó el cuento de Alí Babá cuando ya era de día. Su esposo, el rey, escuchaba a la joven con mucha atención al mismo tiempo que admiraba su belleza. Ella prometió contar otra historia a la noche siguiente, y Diznarda, su hermana, muy feliz de ver que pasaban los días y su hermana seguía viva, procuró no dormirse para poder despertar al rey y a Scherezade antes de que fuera de día. La reina empezó esta nueva historia:

HISTORIA DEL JOVEN REY
DE LAS ISLAS NEGRAS

Una vez un rey iba de viaje con sus criados y ministros, cuando llegó a un país, llamado de las Islas Negras, por las cuatro islas que formaban este reino. Al llegar, vieron muy sorprendidos que todo había cambiado en aquel país. En lugar de las cuatro islas, había cuatro colinas* y, en el centro, un gran lago, donde antes estaba la ciudad más importante y el palacio del rey.

Buscaron a alguna persona a quien preguntar, pero no encontraron a nadie. Sólo después de mucho andar vieron a un joven sentado y casi inmóvil, que lloraba tristemente. El rey le preguntó la causa de su llanto y el joven contó la historia siguiente:

—Señor, mi padre era el rey del país de las Islas Negras; murió a la edad de setenta años, dejándome a mí como rey. Al poco tiempo me casé con una princesa, prima mía. Esta boda me hizo muy feliz durante muchos años, pero poco a poco [106] cambió el carácter* de mi esposa, convirtiéndose en una furia*, desobedeciéndome como rey y como esposo.

Una noche me tumbé en un sofá para dormir. Dos esclavas de mi mujer, que me daban aire [107] y creían que estaba dormido, hablaban en voz baja, pero yo me estaba enterando de todo.

—La reina —decía una de ellas— hace mal en no querer a un príncipe tan bueno como éste.

—Es verdad —decía la otra—; no sé por qué sale sola todas las noches sin que él lo sepa.

—¿Cómo lo va a saber, si cada noche antes de entrar al baño le da unas hierbas que le duermen hasta que ella llega?

—Te puedes imaginar, señor, lo que pensé al oír estas palabras —dijo el joven—. Sin embargo, hice como si no supiera nada. Aquella noche, cuando la reina volvió del baño, antes de acostarnos me dio un vaso de agua que yo tenía la costumbre de beber, pero, en vez de llevarme el vaso a la boca, me acerqué a la ventana, que estaba abierta, y tiré el agua. Nos acostamos en

---

[106] poco a poco=despacio, con lentitud.
[107] me daban aire=me abanicaban.

seguida y, creyendo ella que estaría dormido, se levantó, diciendo en voz alta:

—¡Duerme y no te despiertes más!

Se vistió y salió de la habitación. En cuento ella salió, me vestí y salí detrás de ella, tan cerca que oía sus pasos. Pasaba por muchas puertas, que se abrían solas con unas palabras mágicas que iba diciendo, hasta que entró en el jardín. Me escondí detrás de la última puerta para que no me viera y escuché con atención lo que decía a un hombre que en la oscuridad yo no veía bien.

—No me digas nada por mi tardanza, que ya sabes la causa.

Yo, sin poderme contener más, desesperado, saqué mi cuchillo y se lo clavé al amante de mi mujer, que cayó al suelo. Estaba de espaldas y no pude verle bien, pero pensé que le había matado y eché a correr. A ella no le hice nada por ser prima mía. Todo fue tan rápido que ella no me reconoció.

La herida que hice a su amante fue de muerte [108], pero ella le curó, aunque no estaba ni vivo ni muerto, pues se quedó sin habla y sin poder moverse.

Mientras volvía a mi habitación, oía los gritos de desesperación de mi esposa. Me acosté y, a la mañana siguiente, al despertar vi a la reina durmiendo a mi lado. Me levanté y, sin decir nada, me marché a trabajar con mis ministros.

Volví cuando terminé mis asuntos* y encontré a la reina vestida de negro, con el pelo suelto cubierto con un velo.

—Señor —me dijo—, no te asombres de verme vestida así, pues hoy me he enterado de la muerte de mi padre, de mi madre y de un hermano que ha muerto en la guerra.

---

[108] fue de muerte=mortal, que generalmente causa la muerte.

—Señora —le dije—, es justa [109] tu pena.

Yo sabía cuál era la causa de su pena, pero no dije nada al darme cuenta de que mi esposa ignoraba que yo era quien había herido a su amante, al que yo creía muerto.

Estuvo todo un año llorando y, pasado este tiempo, me pidió que ordenase hacer un sepulcro* en el palacio, donde deseaba pasar el resto de su vida [110], pues la gran tristeza que tenía le hacía desear la soledad.

Al poco tiempo estaba construido el sepulcro. Un día fui al Palacio de las Lágrimas, como llamaban a esta parte de mi palacio, para ver qué hacía allí la reina.

Oí que hablaba y con gran sorpresa vi que su amante no había muerto, aunque la reina, a pesar de todas sus magias y poderes, no había podido curarle y estaba sin poderse mover ni hablar.

—Hace tres años que no me dices ni una sola palabra —decía la reina— ni correspondes a mi amor, ¿es que ya no me amas?

Intenté ver cómo era aquel hombre al que dirigía tantas palabras de amor y vi que era un negro feísimo. Lleno de ira y desesperación, le dije:

—¡Oh tumba!, ¿por qué no te tragas [111] a este horrible negro y a la reina?

Al oírme, la reina se levantó furiosa y gritó:

—¡Eres tú el causante* de mi dolor!

—Sí, soy yo —dije—; yo fui quien dio a ese negro el castigo que merecía y contigo debería haber hecho lo mismo.

Levanté el cuchillo para matarla, pero ella dijo unas palabras mágicas y convirtió la mitad de mi cuerpo en mármol, como ahora estoy. Al mismo tiempo que

---

[109] es justa tu pena=es razonable, es lógica, natural.
[110] el resto de su vida=lo que le quedaba de vida.
[111] ¿por qué no te tragas?=haces desaparecer para siempre.

hacía esto conmigo, también destruía todo mi reino, que desapareció. Los peces que ves en este lago son las cuatro religiones que tenía mi país. Los peces blancos son los habitantes que eran musulmanes; los rojos son los persas que adoran al fuego; los peces azules son los cristianos, y los amarillos son los judíos. Pero no sólo tengo estas desgracias con mi esposa, además viene todos los días a darme cien azotes; ¡es muy cruel!

Al decir esto, el joven rey de las Islas Negras empezó a llorar.

El rey, que le escuchaba, sintió mucha pena de él y le prometió vengarle de su esposa. Como ya era muy tarde y tenían que buscar alojamiento, se marcharon todos, pero el rey ordenó a sus sirvientes que le despertaran muy temprano.

Se dirigió al Palacio de las Lágrimas, que estaba lleno de luz. Se acercó al cuerpo del negro, le mató con su espada y le escondió en el patio. Después se acostó en su cama, escondió su cuchillo debajo de las mantas y esperó a que viniera la reina, vuelto de espaldas para que no le viera.

—¡Mi amor, mi vida! —decía—, ¿todavía no quieres hablarme?

Entonces, el rey, como si despertase de un sueño muy profundo, dijo:

—Todo el poder lo tiene Alá.

Al oír estas palabras, que no esperaba, la reina dijo:

—Mi querido señor, ¿es cierto que me has hablado?

—¡Desgraciada*! —dijo el rey.

—¿Qué he hecho para que me trates así? —preguntó la reina.

—Hace mucho tiempo que yo estaría curado si no hubieras convertido en mármol a tu marido. Sus gritos me molestan —contestó.

—Para contentarte —dijo la reina— estoy dispuesta a hacer todo lo que quieras. ¿Deseas que le vuelva otra vez un hombre como era antes?

102

—Sí —contestó el rey—, así no le oiré más llorar.

La reina fue a ver a su marido. Cogió una taza con agua y la echó sobre él, que volvió a tener la misma forma de siempre. Después volvió al sepulcro, dijo que ya había vuelto a su estado normal a su marido y, llorando, preguntó al que creía su amante:

—Ahora ¿me negarás el consuelo de tu amor?

El rey, imitando* la voz de su amante, contestó:

—Todavía falta algo para que me cure del todo. De momento, sólo puedo hablar, así es que tienes que poner la ciudad donde estaba; hecho esto, me darás la mano, que con tu ayuda me levantaré completamente sano.

Llena de alegría, la reina hizo lo que pidió el rey. Tomó un poco de agua con su mano, dijo la palabras mágicas y en seguida apareció la ciudad, tan bella como antes, con todos sus habitantes, hombres, mujeres y niños.

Cuando acabó de hacer esto, la reina fue hacia el sepulcro otra vez.

—Acércate —le dijo el rey.

Ella obedeció.

—Un poco más —dijo él.

Entonces se levantó con gran rapidez de la cama y de un golpe de su cuchillo le cortó la cabeza a aquella mala mujer.

El rey dejó allí el cadáver y fue a buscar a su amigo, el joven rey, a quien abrazó, contándole cómo había acabado con los dos amantes.

—Eres mi salvador. En agradecimiento, voy a abandonar mi reino y te acompañaré al tuyo.

—Como no tengo hijos, tú serás el rey de mi país cuando yo muera.

Al cabo de algún tiempo, los dos se pusieron en camino [112], seguidos de cien camellos cargados con joyas.

El viaje fue muy bueno; cuando llegaron, toda la

---

[112] se pusieron en camino=se marcharon, comenzaron el viaje.

ciudad estaba esperando a su rey, que era muy querido por todos. Les contó quién era el joven que venía con él y todo lo ocurrido desde que dejó su reino.

* * *

Acabado el cuanto, dijo Scherezade a su esposo que todavía tenía otros más interesantes que le contaría la noche siguiente.

El rey le dio un mes más de vida a su esposa, esperando con impaciencia que empezara de nuevo otra historia.

Diznarda no olvidó despertar a su hermana.

Scherezade dijo al rey Chariar:

—Señor, una vez me contó esta historia un joven que encontré:

HISTORIA DE SIDI NOMAM

Mi nacimiento —dijo el joven— no es de clase alta [113], ni hay en él nada interesante. En cuanto a dinero, siempre he tenido lo bastante para vivir bien. Me llamo Sidi Noman y cuando tuve edad para ello, busqué a quien hacer mi esposa y ser feliz. Pero Dios no quiso darme esta felicidad, ya que desde el mismo día de mi boda ya empezó mi esposa a agotar mi paciencia*.

La boda se celebró, como todas, con un banquete, pero mi mujer, en vez de servirse la comida y comer con cuchara*, como haría toda persona bien educada*, sacó un alfiler*, se sirvió arroz con él y se puso a comerlo grano a grano.

—Kadiga —le pregunté con cariño—, ¿por qué comes así?, ¿es para contar los granos y comer todos los días el mismo número?

---

[113] de clase alta=de buena familia, con títulos o dinero, de la buena sociedad.

Kadiga· ni siquiera me miró; continuó comiendo del mismo modo y, para acabar con mi paciencia, no quiso comer nada más. Pensando que ese día no tenía hambre, me marché dejándola sola para que se diera cuenta de que me había disgustado su forma de comer. Pero hizo lo mismo con la cena y con todas las comidas siguientes.

A pesar de que casi no comía, no estaba enferma; al contrario, cada día estaba mejor y más bella. Este misterio no me dejaba dormir y un día vi cómo a media noche se levantaba de la cama, creyendo que yo estaba dormido. Se vistió en silencio para no despertarme y salió. Yo también me vestí y me asomé a la ventana para ver en qué dirección iba.

Corrí detras de ella y con la luz de la luna veía por dónde iba hasta que entró en un cementerio*. Allí la esperaba una bruja* de aspecto horrible, de esas que van por la noche a los cementerios a alimentarse con los cadáveres que desentierran*.

Casi no podía creer lo que estaba viendo. Desenterraron entre las dos mujeres un cadáver y se lo comieron a grandes trozos.

No entendí ninguna de las palabras que decían, pues estaba un poco lejos. Cuando acabaron con su horroroso banquete, tiraron los huesos al hoyo* y lo cubrieron con tierra.

Yo corrí hacia casa y me metí en la cama. Kadiga entró al poco rato y se acostó a mi lado, muy contenta, pensando que yo no me había dado cuenta de nada.

Lleno de horror, después de lo que había visto, no pude dormir en toda la noche. A la mañana siguiente, muy temprano, me levanté, fui a la mezquita y luego estuve paseando fuera de la ciudad, pensando qué podía hacer. Volví a casa, dispuesto a hablar con ella, para que dejara esa horrible costumbre. Llegó la hora

105

de comer, nos sentamos a la mesa y ella volvió a sacar el alfiler y a comer grano a grano el arroz.

—Kadiga —le dije—, desde que nos casamos te estoy preguntando por qué haces eso y, sin embargo, no me has contestado nunca. ¿Es que la comida que nos dan es peor que la carne de muerto?

Al oír estas palabras, pensó que yo lo sabía todo y, furiosa, me tiró una taza a la cara, mientras decía:

—¡Recibe el castigo a tu curiosidad y vuélvete perro!

Al momento quedé convertido en un perro. Cogió un palo y, pegándome con él, me echó de mi casa. Me metí en la casa de un carnicero*, pero no era un hombre bueno y al día siguiente me encontré de nuevo en la calle, donde los demás perros empezaron a ir detrás de mí y a morderme. Entré en casa de un panadero* que me dejó quedarme allí. Le tenía mucho cariño y él también a mí, así es que le acompañaba a todas partes. El panadero me puso de nombre Colorado.

Un día fue a la tienda una mujer a comprar pan, y entre las monedas que le dio encontró una que era falsa*. Mi amo se lo dijo y ella decía que no era falsa. Entonces el panadero dijo:

—Estoy seguro que hasta mi perro es capaz de conocer esa moneda.

Me llamó y, al momento, puse una pata* en la moneda falsa. Se quedó tan sorprendido mi amo que todo el barrio* supo lo listo* que yo era y en alguna ocasión trataron de robarme.

Un día entró una anciana, colocó delante de mí unas monedas de plata, entre las que había una que era falsa. Yo en seguida la encontré y puse la pata encima como la otra vez. La mujer me miró fijamente y, al irse, me dijo que fuera con ella.

Pensando que algo bueno me iba a suceder, fui con

ella. Después de cruzar varias calles, llegamos a su casa, donde había una joven.

—Hija mía —dijo la anciana—, aquí te traigo al perro.

La joven cogió una taza y dijo:

—Si has nacido perro —dijo, tirándome el agua—, quédate como estás, pero si eres un hombre, vuelve a ser como eras.

Al momento volví a tener figura* de hombre.

—Sidi Noman —dijo aquella joven—, no hablemos del favor que te he hecho y vuelve a tu casa. Cuando llegue tu mujer, le tiras a la cara este agua.

Así lo hice y se convirtió en una yegua. A la fuerza [114], la llevé a la cuadra y la golpeé hasta que se me acabaron las fuerzas.

Ésta es mi historia —dijo Sidi Noman—, pero no fui muy cruel con esta mala mujer, pues sólo le di aquellos golpes.

* · *

Scherezade terminó así su cuento y Chariar miraba y escuchaba a su esposa con verdadera admiración.

Habían pasado ya mil y una noches contando historias y las preocupaciones del rey ya no eran tan grandes, ni pensaba tanto en la infidelidad de las mujeres. Estaba convencido del gran mérito y de la inteligencia de Scherezade y recordaba el valor con que voluntariamente se ofreció a ser su esposa, sabiendo que al día siguiente podría morir igual que las otras jóvenes que se habían casado con él.

Todas estas cosas, así como la belleza y la inteligencia de la reina, le hicieron perdonarle la vida, y le dijo:

—Ya sé, querida Scherezade, que sabes gran cantidad de cuentos y que hace tiempo que me diviertes

---

[114] A la fuerza=Contra su voluntad, por la fuerza, sin querer ella.

con ellos. Has calmado la ira que sentía hacia las mujeres y renuncio con gusto a la cruel ley de matar a todas mis esposas. Quiero que seas considerada como la salvadora de todas las jóvenes de este país.

Scherezade se arrodilló delante del rey y le dijo muchas palabras de agradecimiento y amor.

El primer ministro, padre de Scherezade, fue el primero en saber la noticia, que comunicó a todo el país. El pueblo agradeció a Scherezade su inteligencia y valor.

GLOSARIO

Abandone.—De abandonar. Dejar, no hacer caso de algo.
Abertura.—Grieta, agujero, hendidura.
Abuelo.—Padre del padre o de la madre.
Acabado.—Terminado, hecho, finalizado.
Accidente.—Suceso, generalmente desagradable, inesperado.
Acostados.—Dormidos, tumbados, echados, tendidos.
Acuerdo (Estar de).—Resolución tomada por una o varias personas coincidiendo en una idea o decisión.
Acusado.—Culpable, al que se acusa de alguna culpa.
Acusarme.—Culparme, echarme la culpa de algo.
Adán.—Nombre del primer hombre creado por Dios (Biblia).
Admirada.—Sorprendida, asombrada.
Adornada.—Con cosas que sirven para aumentar la belleza.
Afeitarse.—Cortar con navaja o máquina de afeitar la barba o el bigote.
Afilados.—Muy cortantes, de punta.
Agarré.—Cogí fuertemente con las manos. Asir, agarrar.
Aguantar.—Soportar, tolerar.
Ahoga.—Impide respirar, que no puede respirar.
Ahorcar.—Quitar la vida, matar, poniendo una cuerda en el cuello y colgando a la persona de la cuerda, en la horca.
Alabastro.—Especie de piedra, como de mármol, transparente y de color.
Alas.—Parte del cuerpo de las aves y que les sirven para volar.
Alcanfor.—Sustancia que sale del árbol del mismo nombre, que sirve para hacer el celuloide y que también se usa en Medicina.
Algo.—Cantidad indeterminada, un poco. Motivo, razón.
Alfiler.—Clavito metálico muy fino, delgado y en punta que se usa para sujetar algo. Es muy pequeño.
Alfombra.—Tejido hecho con lana, o de otras materias, para cubrir el suelo de las habitaciones.

109

Alimentos.—Comida, todo lo que sirve para comer y alimentarse.

Almacenes.—Sitio donde se tienen guardadas las mercancías en espera de venderlas.

Alrededor.—Cercanías, todo lo que rodea a un lugar determinado.

Amanecer.—Empezar el día, alba.

Amante.—Hombre o mujer con el que se tienen relaciones amorosas sin estar casados.

Amargamente.—Tristemente, con disgusto, con amargura.

Amo.—Dueño, propietario, el que tiene criados.

Animado.—Tener ánimos, valor, energía.

Anochecido.—Cuando está cerca la noche, cuando oscurece el día, atardecer.

Antropófago.—Persona salvaje que come carne humana.

Apareció.—Que llegó de repente, inesperadamente, sin esperarlo.

Aplastándola.—Oprimiéndola, golpeándola, machacándola.

Aprobó.—Estuvo de acuerdo, coincidió en algo, aceptó, le pareció bien.

Árabes.—Persona que ha nacido en Arabia.

Arabia.—Península de Asia Occidental.

Arco.—Arma que sirve para disparar flechas.

Armario.—Mueble para guardar la ropa o cosas.

Arquitecto.—Persona que ha estudiado la carrera de Arquitectura para construir edificios, decoraciones, etc.

Arreglados.—Preparados, mejorados, hechos mejor.

Arrepentí.—Desear no haber hecho alguna cosa, saber que se ha cometido una equivocación, arrepentirse de algo.

Asaba.—Poner al fuego algún alimento crudo.

Asesinatos.—Crímenes, matar a las personas.

Asesino.—Criminal, persona que quita la vida a otra.

Asistir.—Estar presente, ir, acudir.

Asno.—Animal doméstico, más pequeño que el caballo y de grandes orejas.

Asombraba.—Que admiraba, que sorprendía, que causaba asombro.

Astrólogo.—Persona que estudia la Astrología, que conoce los astros y todo lo relativo al firmamento.

Astros.—Estrella, cuerpo celeste.

Asuntos.—Negocios, tratos, trabajo, cosas que hace cada persona.

Asustan.—Dan sustos, acobardan, que causan miedo.

Atacar.—Acometer, asaltar, agredir.

Atan.—Sujetan con cintas o cuerdas, impiden que se muevan.

Atardecer.—Cuando empieza a oscurecer el día, final de la tarde, principio de la noche.

Atravesar.—Cruzar, pasar, entrar.

Atrevido.—Valiente, desenvuelto, osado, que es capaz de hacer todo sin importarle el peligro.

Aumentar.—Añadir, crecer, mejorar, sumar.

Avaricia.—Deseo muy intenso de poseer y adquirir muchas riquezas para guardarlas.

Ayudarme.—Ampararme, prestarme cooperación, asistirme.

Azotes.—Golpe dado con la mano, con un látigo o vara en las nalgas o cualquier parte del cuerpo.

Bagdad.—Ciudad de Irak, situada a orillas del río Tigris.

Ballena.—Animal marino, mamífero.

Banquero.—Persona que se dedica a negocios bancarios, del banco.

Banquete.—Comida espléndida y extraordinaria que se da para las personas que se invitan a una fiesta, boda, bautizo, etc.

Barbero.—Persona que se dedica al trabajo de afeitar y cortar el pelo.

Barca.—Embarcación pequeña.

Barrido.—Quitar con una escoba la suciedad del suelo.

Barrio.—Grupo de casas y calles en que se dividen las ciudades y pueblos.

Barro.—Masa que se forma con tierra y agua.

Basora.—Puerto fluvial de Bagdad, ciudad de Irak.

Bendigo.—De bendecir. Invocar el nombre de Dios para desear cosas buenas a otra persona.

Biblioteca.—Lugar donde se colocan y tienen los libros.

Bienes.—Fortuna, dinero, hacienda, propiedades.

Boda.—Casamiento, matrimonio.

Bolsa.—Especie de saco más o menos pequeño para guardar cosas.

Bondadosa.—Buena, de buenos sentimientos, compasiva, caritativa.

Bosque.—Lugar poblado de árboles y plantas.

Boticario.—Farmacéutico, persona que vende medicinas, que tiene una farmacia.

Brazos (En).—Sostenido en los brazos, llevado en los brazos, transportar con los brazos.

Brillantes.—Que brilla, piedra preciosa derivada del diamante.

Bruja.—Mujer que hace acciones y actos sobrenaturales y diabólicos, mujer muy fea.

Brujerías.—Hechizos, hechos sobrenaturales, anormales.

Búfalo.—Animal salvaje de Asia y África.

Burlando.—Con burla, con palabras que engañan, desprecio, engaño.

Cabellos.—Pelo de la cabeza.

Cacería.—Partida de caza, perseguir a un animal para cogerlo o matarlo.

Cadáver.—Cuerpo muerto, sin vida.

Caja.—Ataúd, especie de caja alargada y con una tapa, del tamaño de una persona.

Calabazas.—Fruto grande y de forma variada, como un melón.

Caldera.—Vasija, cacharro grande para calentar agua o cualquier cosa.

Caldo.—Alimento líquido que se hace con huesos, verduras, etc.

Cambio (A).—En lugar de, en vez de, dar una cosa por otra.

Candelabro.—Lámpara, aparato donde se ponen velas o bombillas para dar luz.

Capa.—Prenda de vestir suelta y sin mangas.

Capital.—Ciudad principal de un país.

Capricho.—Deseo muy fuerte de tener algo, antojo.

Carácter.—Manera de ser de una persona, forma de pensar y hacer de una persona.

Caras.—Que cuestan mucho dinero.

Caravana.—Muchas personas reunidas para viajar juntas y tener menos peligros.

Cárcel.—Edificio donde se mete a los presos, a los delincuentes y culpables de un delito.

Cargado.—Lleno, abarrotado, atestado, completo, relleno.

Cargo.—Empleo, oficio, trabajo.

Carnicero.—Persona que vende carne, que trabaja con la carne de los animales.

Carpintero.—Persona que trabaja con la madera, oficio.

Carro.—Coche de dos ruedas tirado y llevado por un animal.

Casi.—Con poca diferencia, cerca de algo.

Causa.—Motivo, razón.

Causante.—Persona que causa o provoca algo, ser el culpable de que algo ocurra o suceda.

Celebrar.—Hacer una fiesta, una ceremonia, como una boda, un bautizo, un banquete.

Celos.—Sospechar que la persona con la que se tienen relaciones amorosas quiere a otra persona, que engaña.

Cementerio.—Lugar destinado a enterrar a los cadáveres, a los muertos.

Cesto.—Cesta, recipiente de paja.

Cicatrices.—Señales que quedan después de cerrarse una herida.

Cierto.—Verdad, seguro, fijo.

Cintura.—Parte más estrecha del cuerpo humano, encima de las caderas, donde se pone el cinturón.

Circunstancias.—Todo lo que acompaña a un acto, lo que rodea a algo.

Clavamos.—Metimos, introducimos.

Cobrar.—Recibir dinero que otra persona debe, dinero que se recibe por realizar un trabajo.

Cofre.—Especie de caja para guardar cosas.

Cojo.—Persona a la que le falta una pierna o tiene un defecto en ella que le obliga a andar con dificultad.

Colinas.—Elevación del terreno, menor que una montaña.

Colmillos.—Dientes muy grandes que tienen algunos animales, como el elefante.

Collar.—Adorno que llevan las mujeres alrededor del cuello, generalmente son de perlas, cuentas o piedras, también pueden ser de metal.

Comedor.—Habitación destinada para comer.

Comerciantes.—Personas que se dedican al comercio, a la venta y compra de mercancías, propietarios de alguna tienda.

Compañeros.—Camaradas, personas que trabajan juntas, que viven juntas, amigos.

Comparaban.—Ver la diferencia que hay entre dos personas o cosas.

Compasión.—Pena, lástima por otra persona que sufre.

Complacerme.—Ser amable, tenerme contento, agradarme.

Completa.—Toda, total, acabada, terminada.

Comprensión.—Tolerar, entender las cosas, admitir, permitir.

Conciencia.—Alma, sentimiento espiritual que tienen las personas para saber cuando algo es bueno o malo.

Confianza.—Fe, seguridad, creer en algo o en alguien.

Conducta.—Manera de comportarse de una persona, forma de vivir.

Confesó.—Habló, reconoció algo, dijo, declaró.

Conseguir.—Alcanzar, tener, lograr.

Consejo.—Reunión de los ministros y del rey o jefe del Estado de un país.

Consentimiento.—Permitir, autorizar, admitir, dejar que se haga algo.

Consuelo.—Ayudar, aliviar, poner fin a alguna tristeza o desgracia.

Conté.—Narré, dije, hablé, expliqué.

Contrato.—Documento donde se comprometen y obligan dos o más personas a hacer algo o pagar alguna cantidad de dinero.

Convencer.—Persuadir, inducir a alguien a que haga alguna cosa.

Convertidas.—Transformadas, volverse de una forma que no eran, de otra manera.

Conveniente.—Bueno, adecuado, oportuno.

Convidados.—Invitados, personas a las que se ofrece algo, una comida, etc.

Corán.—Libro sagrado de los mahometanos.

Cornadas.—Golpes dados con un cuerno.

Corta.—Breve, de poca duración, que termina en seguida.

Cortada.—Separar algo con un cuchillo o con otro instrumento. Suprimir, quitar.

Corte.—Ciudad donde vive el rey con su familia y sus ministros.

Corriente.—Aguas que se mueven con mucha violencia, con velocidad. Movimiento progresivo de las aguas.

Costumbre.—Hábito, lo que se hace siempre, todos los días.

Criado.—(De criar). Cuidar, amamantar, alimentar, educar.

Crías.—Hijos.

Criminal.—Asesino, el que quita la vida a otra persona, el que mata.

Cruel.—Feroz, brutal, malvado, despiadado.

Cuadernillo.—Diminutivo de cuaderno, varias hojas de papel unidas, cosidas.

Cuadra.—Sitio donde están los caballos y otros animales.

Cualquiera.—Algo sin determinar, una persona indeterminada.

Cuchara.—Instrumento compuesto de un mango y una parte hueca que sirve para poder coger los alimentos y llevarlos a la boca.

Cuello.—Parte del cuerpo que une la cabeza con el resto.

Cuentan.—Dicen, hablan.

Cuerno.—Prolongación ósea que tienen algunos animales en la región frontal, como el toro.

Cueva.—Parte hueca de una roca, cavidad subterránea.

Cuidado.—Precaución, vigilancia, interés.

Culto.—Persona que tiene cultura, educación, instrucción. También ritos, práctica de una religión.

Cumplió.—Terminar algo, cumplir años, tener una edad determinada.

Cuñada.—Esposa de un hermano.

Charlatán.—Persona que habla mucho, muy hablador.

Chimenea.—Sitio por donde sale el humo del fuego que se enciende en las cocinas, lugar donde se enciende leña para dar calor.

Chico.—Muchacho, niño, pequeño de medida, de tamaño.

Damasco.—Ciudad de Siria.

Deber.—Adeudar, tener una deuda.

Defecto.—Anormalidad, deformidad, que no tiene la perfección que debe tener algo.

Deformes.—Contrahecho, anormal, que no tiene proporciones buenas.

Decidió.—Tomó una decisión, pensó algo definitivo sobre una cosa.

Declaré.—Manifesté, dije algo, hice conocer, hablé, confesé.

Demostrar.—Tener pruebas para probar algo de una forma evidente.

Denunciado.—Acusado por la autoridad, por alguna persona que culpa a otra de un delito.

Desanimes.—Desalientes, quites el ánimo, el valor, entristezcas, dejes sin fuerza, sin energías.

Desaparecido.—Que no está, que deja de verse.

Descuidaba.—Que no cuidaba, que no ponía interés.

Desembarcar.—Bajar del barco.

Desentierran.—Sacan de su tumba a los muertos que ya están enterrados.

Desesperados.—Muy tristes, sin esperanza.

Desgracia.—Mala suerte, pena, adversidad, infortunio.

Desgraciada.—Insulto; persona sin suerte, desdichada.

Destino.—Suerte, vida. También sitio adonde se va.

Destruida.—Rota, deshecha, derribada.

Deudas.—Lo que se debe a otra persona, las cosas que hay que devolver.

Devolver.—Dar, restituir a su estado anterior.

Diamante.—Piedra preciosa formada por carbono cristalizado, brillante.

Diferente.—Distinta, desigual, que no es igual.

Digna.—Que merece algo, honrada, buena, noble.

Discusión.—Riña, disputa, polémica, no estar de acuerdo.

Disfrazaron.—Vestirse con trajes para que no les conozcan, para ocultarse.

Disfrutaron.—Alegrarse, divertirse, estar a gusto, feliz.

Disgusto.—Pena, desavenencia, inquietud, desagrado.

Divertirme.—Pasarlo bien, entretenerme, alegrarme.

Dolores.—Sensaciones molestas en alguna parte del cuerpo.

Dote.—Dinero o bienes que lleva la mujer al matrimonio.

Dulces.—Pasteles, alimentos con azúcar, postres.

Duración.—Tiempo que dura una cosa, extensión.

Economiza.—Ahorra, guarda, no gasta.

Echaban.—Tiraban, despedían, dejaban caer algo, lanzaban, arrojaban. Echar de una casa, hacer que alguna persona abadone, salga de una casa.

Edificio.—Casa, generalmente grande.

Educada.—Con cultura, correcta, fina de modales, con educación.

Ejemplar.—Que sirve de ejemplo, que es bueno, digno de imitarse.

Elefante.—Animal cuadrúpedo con trompa y colmillos muy grandes.

Elegante.—Bien vestida, con buen gusto.

Eligió.—Escogió, prefirió.

Embarazada.—Mujer que está esperando tener un hijo, que está en cinta, en estado, en período de gestación.

Emborrachó.—Que bebió mucho vino o licor hasta perder la razón o el sentido.

Enanos.—Personas muy pequeñas, más bajas de lo normal.

Encarcelaron.—Metieron a una persona en la cárcel, le hicieron prisionero.

Encargó.—Recomendó, encomendó, pidió.

Encendieron.—Hacer que una cosa arda, prender fuego. Dar luz, encender la luz eléctrica.

Enferma.—Persona que tiene una enfermedad, una anormalidad en el organismo.

Enfrente.—Delante, al otro lado.

Enfurecido.—Enfadado, furioso, irritado, colérico.

Enrollado.—Liado, dando vueltas en forma de rollo.

Ensangrentada.—Llena de sangre, manchada de sangre.

Enseñé.—Mostré, indiqué, instruí.

Enterraron.—Metieron debajo de tierra, dieron sepultura a un cadáver.

Entrada.—Puerta, abertura en la pared.

Entretenida.—Divertida, amena.

Envenenado.—Que le han dado veneno, intoxicado.

Envidia.—Disgusto que produce el bien de otra persona.

Época.—Fecha, día en que sucedió algo. Tiempo fijo en la historia. Cualquier espacio de tiempo.

Equivocación.—Confusión, creer una cosa por otra, engañarse.

Escalera.—Varios escalones para subir o bajar.

Escarmiento.—Castigo, experiencia desagradable, desengaño.

Esclavos.—Personas que están trabajando, bajo el mando y la autoridad de otra, y que son dueños de sus vidas sin que puedan hacer nada sin su permiso.

Escobas.—Manojo, varias palmas o plumas, cualquier otra cosa atada a un palo que sirve para barrer y limpiar el suelo.

Escondido.—Oculto, que no se ve.

Escuela.—Colegio, sitio donde van los niños a estudiar.

Esencias.—Perfumes.

Especie.—Clase, división de un género, de seres o cosas que tiene algo igual o en común.

Espina.—Parte del esqueleto de los peces, del pescado.

Esposa.—Mujer casada.

Estado.—Situación de una persona o cosa, organismo político de un país, territorio.

Estatuas.—Figuras de piedra, madera o metal.

Estrecha.—Que tiene poca anchura.

Estribos.—Aro de metal donde la persona que va montada en un caballo mete el pie para sujetarse.

Estupidez.—Tontería, torpeza, falta de inteligencia.

Eterna.—Que durará siempre, que permanecerá siempre, que estará siempre.

Evitar.—Apartar algo, hacer que no ocurra alguna cosa.

Eunuco.—Hombre castrado que sirve de guardián en los harenes y protege a las mujeres de los reyes árabes. *Castrado.*—Extirpar o inutilizar los órganos genitales.

Exclamó.—Habló, dijo con palabras vehementes y apasionadas, con voz fuerte.

Éxito.—Resultado feliz de algo, que está bien hecho, bien terminado.

Extranjero.—Persona de otro país, forastero.

Extraña.—Rara, distinta, diferente, extravagante.

Falsa.—Que imita a lo legítimo, contraria a la verdad.

Falta.—Defecto, que no tiene algo, privación.

Familiar.—Pariente, perteneciente a la familia, miembro de la familia.

Famosos.—Célebres, conocidos, que tienen fama, que todo el mundo los conoce.

Fantasma.—Aparición fantástica, sobrenatural, de cuentos infantiles.

Farol.—Linterna, aparato que sirve para alumbrar, dar luz.

Favorito.—Preferido, persona que tiene la amistad y el favor del rey.

Fealdad.—Sin belleza ni hermosura, feo.

Fecha.—Día, indicación del día en que se hace algo.

Fiebre.—Elevada temperatura del cuerpo cuando se está enfermo.

Fiestas.—Día en que se celebra alguna solemnidad religiosa o se conmemora algún hecho histórico o importante. También es una diversión, una reunión de amigos para celebrar una boda, un bautizo, etc.

Figura.—Aspecto de una persona, cuerpo.

Fijo.—Que no se mueve, quieto, sin movimiento.

Filósofo.—El que estudia la Filosofía. También se dice de las personas resignadas con una forma de vida.

Flaco.—Delgado, sin carne, de poco peso.

Flexible.—Que se puede doblar con facilidad sin que se rompa y después puede volver a su forma normal.

Fortuna.—Dinero, conjunto de bienes de una persona.

Forro.—Tela que se pone a algunos trajes por la parte interior.

Frutas.—Producto que sale de los árboles y vegetales después de la flor.

Furia.—Persona con mucha ira, colérica, violenta, irritada.

Ganado.—Conjunto de animales como vacas, caballos, etc.

Garganta.—Parte interior del cuello.

Garras.—Patas del animal que acaba en uñas muy fuertes y curvadas.

Genio.—Personaje fantástico, imaginario, de cuentos infantiles.

Gente.—Personas, reunión de varias personas.

Gigantes.—Persona de tamaño mucho mayor de lo normal, muy grandes.

Globo.—Cuerpo redondo, esférico, lleno de gas que pesa menos que el aire y que se eleva.

Gobernador.—Jefe superior de una provincia, representante del Gobierno.

Gordo.—Persona con mucha carne, que pesa mucho.

Gracia.—Encanto, simpatía, habilidad para hacer algo.

Gramático.—El que estudia y es entendido en Gramática.

Grande.—Mayor.

Grasa.—Sebo, manteca de un animal.

Gratitud.—Agradecimiento.

Gritos.—Voces altas y esforzadas.

Grupo.—Varias personas.

Guardado.—Escondido, conservado, reservado.

Guardias.—Policías, que protegen a las personas de los delincuentes.

Guía.—Persona que acompaña a otra para indicarle y enseñarle un camino.

Habitantes.—Personas que viven en una ciudad.

Habitadas.—Con personas.

Habilidad.—Inteligencia y capacidad para hacer una cosa.

Hablador.—Que habla mucho, persona que siempre está hablando, charlatán.

Hacienda.—Fincas, fortuna, conjunto de bienes, dinero.

Hada.—Ser fantástico de sexo femenino, imaginario, de cuentos infantiles.

Hembra.—Mujer, animal del sexo femenino.

Heredero.—Persona que hereda a otra.

Herencia.—Bienes, dinero que al morir una persona se transmite a otras.

Herida.—Lesión penetrante producida en la carne por un choque o arma.

Hervir.—Que está muy caliente, en ebullición, a cien grados.

Hierbas.—Planta blanda, de color verde, que muere todos los años.

Historiador.—Persona que escribe la Historia.

Hojas.—Parte de los vegetales, lisa y verde, que está en las ramas.

Hombrecillo.—Hombre pequeño, de poca estatura.

Hombros.—Parte superior del cuerpo, donde nace el brazo.

Honor.—Sentimiento de dignidad moral, virtud, buena reputación.

Honores.—Con dignidad, con el protocolo que se da a una persona importante.

Horcas.—Cadalso, instrumento antiguo que se utilizaba para matar al culpable de un delito.

Horrible.—Que causa horror, espantoso, terrible, monstruoso.

Horror.—Temor, miedo causado por algo horrible, monstruoso.

Hoyo.—Cavidad en la tierra, agujero.

Huerto.—Terreno o jardín pequeño en el que se cultivan frutas y verduras.

Huesos.—Parte dura y sólida que forma el armazón del esqueleto.

Huevo.—Cuerpo ovoidal, casi redondo, que contiene el germen del pollo.

Humano.—Todo aquello que se refiere al hombre.

Huir.—Echar a correr, esconderse de algo, escapar rápidamente.

Hundiendo.—Caer en el fondo del mar, del agua.

Idea.—Representación de una cosa en la mente, modo de ver las cosas, ingenio, habilidad.

Iluminada.—Con luz, alumbrada, que tiene claridad.

Ilusión.—Deseo, querer algo.

Imaginario.—Que no es real, que no ha sucedido, inventado.

Imitando.—Que hace una cosa igual que otra.

Impaciente.—Que no tiene paciencia, que no puede esperar.

Impedirlo.—Estorbarlo, no dejar que se haga algo.

Imposible.—Que no se puede hacer, muy difícil de realizar.

Imprudente.—Que no tiene prudencia, falto de cuidado, temeridad.

Inclinó.—Agachó, bajó el cuerpo doblándolo hacia adelante.

Increíble.—Que no se puede creer, que no es fácil creerlo, asombroso.

Indiscreción.—Imprudencia, revelar secretos, acción o palabras indiscretas.

Inesperado.—Repentino, que nadie se lo espera, acontecimiento.

Infiel.—Falto de fidelidad, adúltero que engaña.

Inimaginable.—Que no se puede imaginar, que sobrepasa la imaginación.

Inocente.—Libre de pecado, sin malicia, que ignora el mal.

Interesado.—Seguir algo con emoción, con interés.

Instrumentos.—Herramientas que sirven para trabajar.

Insulten.—Digan palabras ofensivas.

Invento.—Descubrimiento, hallar una cosa nueva, crear algo nuevo que no existe.

Invitados.—Convidados.

Ira.—Cólera, enojo, furia, enfado.

Isla.—Porción de tierra rodeada de agua por todas partes.

Islas Negras.—País imaginario, fantástico.

Islámico.—Perteneciente y relativo al Islam.

Jardines.—Terrenos donde se cultivan flores y árboles.

Jarra.—Vasija de barro o cristal con asa, el cuello o boca muy ancho.

Jefe.—Superior, persona de más categoría en un oficio, o en el ejército u otros organismos.

Jorobado.—Persona que tiene un hueso abultado en la espalda, debido a una enfermedad de la columna vertebral. Tener chepa, cheposo.

Joyas.—Objeto pequeño de oro, plata o platino con piedras preciosas.

Joyero.—Persona que vende y entiende de joyas. También es una caja para guardar joyas.

Judío.—Hebreo, de raza judía.

Juez.—Magistrado, encargado de juzgar y sentenciar, persona que hace de árbitro en una disución.

Juicio (Final).—Juicio que, según la religión católica, ha de pronunciar Dios al final del mundo para castigar o premiar.

Juró.—Pronunció un juramento, aseguró, afirmó.

Justicia.—Virtud que hace dar a cada persona lo que le corresponde, derecho de pronunciar sentencias, administrar justicia. Derecho, equidad, razón, pena o castigo público.

Justo.—Que obra con justicia.

Labrador.—Que labra o cultiva la tierra, persona que vive en el campo y lo cultiva.

Ladrón.—El que roba, el que se lleva algo que no es suyo sin pensar devolverlo.

Lago.—Gran cantidad de agua permanente en un terreno que comunica con el mar o no comunica.

Lágrimas.—Cada una de las gotas del líquido segregado por las glándulas del ojo y que salen al exterior por causas morales o físicas.

Lamentarse.—Quejarse, llorar.

Látigo.—Cuerda larga y delgada con la que se castiga a los animales.

Lengua.—Idioma, conjunto de palabras del lenguaje hablado o escrito, órgano movible situado en la boca que sirve para la articulación de las palabras, gustar y tragar alimentos.

Letra.—Escritura.

Levantó.—Alzó, subió, poner derecho lo que estaba inclinado.

Leyendas.—Historias, cuentos, narraciones, relatos.

Líquido.—Como el agua, el vino.

Listo.—Despierto, inteligente, astuto, que comprende con rapidez.

Loco.—Que no tiene la facultad de razonar. Chiflado, desequilibrado.

Lujos.—Con mucha riqueza, con adornos.

Madrugada.—Principio del día, amanecer, alba.

Magia.—Ciencia que enseña a realizar cosas extraordinarias, fuera de lo normal, sobrenaturales.

Magos.—Brujos, los que hacen la magia.

Mahometano.—Que profesa la religión de Mahoma.

Majestad.—Título que se da a los reyes.

Maldad.—Hacer algo malo. Perversidad, malicia.

Malgastes.—Gastar mal y mucho, desperdiciar, tirar el dinero.

Maltratado.—(Tratar mal). Que le han hecho daño, le han pegado, le han golpeado.

Manada.—Rebaño, gran número de animales reunidos.

Manco.—Que le falta un brazo o una mano.

Manera.—Forma, conducta.

Mares.—Plural de mar.

Mareo.—Malestar de la cabeza y el estómago.

Marfil.—Sustancia ósea, dura, de gran blancura. Los colmillos de los elefantes son de marfil.

Marido.—Hombre casado, esposo.

Marinero.—Persona que trabaja en la maniobra de los barcos, navegante.

Mármol.—Piedra caliza muy dura, que se puede pulimentar y se emplea como adorno.

Mayor.—El más grande, el de más edad, el más viejo.

Mejilla.—Cada uno de los lados de la cara debajo de los ojos. Carrillos.

Menor.—Más pequeño que otra cosa, denota inferioridad, tamaño más pequeño.

Mercados.—Lugar destinado a vender o comprar mercancías, edificio donde van los comerciantes a comprar o vender.

Merecerías.—(De merecer). Ser o hacerse digno de algo.

Meter.—Introducir, entrar, pasar, incluir dentro de otra cosa.

Mezquita.—Edificio religioso mahometano, donde se va a orar.

Ministros.—Jefe de cada uno de los departamentos o Ministerios del Estado de un país.

Miseria.—Escasez extrema de algo, pobreza.

Misericordioso.—Bondadoso, bueno, caritativo, virtud que hace sentir pena por los males o desgracias ajenas.

Monstruo.—Ser cuya forma es diferente al resto de su especie.

Monstruoso.—Horrible, que produce miedo o temor, anormal.

Montado.—Subido encima de algo, de alguna persona o animal.

Montón.—Muchas cosas puestas sin orden, unas sobre otras.

Mordisco.—Morder, clavar los dientes.

Mosul.—Ciudad de Irak, a orillas del río Tigris.

Motivo.—Causa, razón por la que se hace una cosa.

Muestra.—Parte pequeña de una mercancía, que sirve para saber el tipo de mercancía que es y su calidad.

Mugir.—Dar mugidos, voz del toro o la vaca.

Mujer.—Esposa.

Mula.—Animal muy fuerte de carga, hembra del mulo, cuadrúpedo nacido de caballo y burra.

Musulmanes.—Mahometanos, que tienen la religión de Mahoma.

Muralla.—Piedras puestas unas sobre otras que rodeaban y cerraban una ciudad para protegerla del enemigo.

Nadie.—Ninguna persona, que no hay ninguna persona.

Navajas.—Cuchillo que se dobla para reducir su tamaño.

Navegar.—Viajar por mar o ríos, dirigir un barco.

Necesidad.—Obligación, necesario, que hace falta, imprescindible.

Necesidades.—Tener necesidad de dinero, pobreza.

Negocios.—Trabajo que produce dinero.

Negros.—Raza de hombres que tienen el color de la piel muy oscura.

Nieto.—Hijo del hijo o de la hija.

Noble.—De aspecto digno, de apariencia grave, serio.

Nobles.—Aristócratas, pertenecientes a familias de la nobleza.

Nodriza.—Persona destinada a cuidar niños desde que nacen.

Nombraré.—Eligiré, escogeré, llamaré por su nombre.

Notario.—Persona autorizada para dar fe de los contratos y otros actos públicos.

Noté.—Me di cuenta de algo, sentí algo, me fijé, vi.

Novelista.—Persona que escribe novelas.
Novio.—Prometido, persona que va a casarse.
Nublado.—Cubierto el cielo de nubes, oscuro, poco claro.

Ocurrió.—Pensó, imaginó. También: sucedió, pasó.
Odiado.—Aversión, odio que se tiene a alguna persona.
Ofendido.—Que ha recibido una ofensa, que ha sido herido o maltratado de palabra, insultado.
Oficio.—Ocupación habitual de una persona; trabajo, profesión.
Orden.—Mandato, que se debe obedecer, obligación.
Origen.—Principio de algo, familia, procedencia.
Orilla.—Extremo, límite de la tierra que la separa del mar, río o lago.
Oscureciendo.—Que está anocheciendo, con poca claridad, poca iluminación.

Palmada.—Golpe dado con la palma de la mano, que produce ruido.
Palmera.—Árbol.
Palo.—Trozo de madera mucho más largo que grueso.
Panadero.—Persona que tiene como oficio hacer el pan o venderlo.
Panes.—Plural de pan.
Pañuelo.—Pedazo de tela pequeño y cuadrado que sirve generalmente para limpiarse la nariz.
Paquete.—Lío, bulto.
Paraíso Terrenal.—Lugar donde Dios puso a Adán y Eva.
Pararse.—Detenerse, quedarse quieto, no moverse.
Parientes.—Familiares pertenecientes a la misma familia.
Pasajeros.—Viajeros que van de camino de un lugar a otro.
Pastelero.—Persona que hace pasteles y dulces.
Pata.—Pie o pierna de los animales.
Patio.—Espacio descubierto, sin techo, que hay en el interior de algunas casas.
Pecado.—Maldad, vicio.
Peces.—Pescado, animal vertebrado que vive dentro del agua.
Pedazo.—Trozo, parte separada de algo.
Pegado.—Unido, junto a otra cosa.
Pellejo.—Cuero, piel de un animal, cosido, y que sirve para meter líquidos.
Pegar.—Golpear, maltratar, herir.
Penalidades.—Trabajos, penas, amarguras.
Perder (la paciencia).—Impacientarse, enfadarse.
Perfección.—Acabar algo por completo y muy bien. Que tiene el mayor grado de bondad y belleza.

Perseguirlos.—Ir detrás de ellos, correr, intentar alcanzarlos.

Pesadilla.—Sueño desagradable, preocupación continua.

Pesado.—Que pesa mucho, muy intenso, profundo.

Pescador.—Persona que se dedica a la pesca, que saca peces del mar y del río.

Peso.—Instrumento para saber cuánto pesan las cosas.

Pico.—Boca de los pájaros.

Piedad.—Cariño y respeto hacia las cosas santas. Misericordia, pena, lástima, compasión.

Piel.—Cuero del animal cuando está curtido.

Pirámides.—Lugar donde enterraban a los antiguos reyes egipcios.

Piratas.—Ladrones que recorren los mares para robar a los barcos.

Placeres.—Diversiones, lo que produce bienestar, entretenimiento.

Playa.—Orilla de arena del mar o del río.

Plazas.—Lugar ancho y sin casas dentro de una ciudad.

Pobre.—Desgraciado, sin dinero.

Poeta.—El que escribe en verso.

Pollo.—Cría de las aves.

Prado.—Tierra muy fértil, llena de plantas y hierba.

Precio.—Valor en que se estima algo, dinero que se entrega por alguna cosa.

Prefiero.—Elijo, escojo, doy preferencia a una cosa sobre otras.

Pregón.—Aviso, orden que se dice en público por las calles.

Pregonero.—Persona que dice los pregones.

Premio.—Recompensa.

Preocupado.—Disgustado.

Preparó.—Arregló, dispuso.

Presencia (Con su).—Asistencia de una persona, que está allí.

Presentó.—Mostró ante alguien, apareció delante de alguien.

Pretexto.—Excusa, motivos para hacer algo y ocultar el verdadero motivo.

Primo.—Hijo o hija del tío o la tía.

Principales.—Más importantes.

Principio (Al).—Comienzo de algo, origen, al empezar.

Prisionero.—Persona que está en prisión, encarcelado, sin libertad, preso.

Problema.—Cuestión que se trata de resolver, conflicto, cosa difícil de explicar.

Profesión.—Oficio, carrera, trabajo.

Profundo.—Hondo, penetrante, intenso.

Prueba.—Indicio que sirve para hacer resaltar la verdad o falsedad de algo.

Pueblo.—Súbditos, personas de un país.

Pulgares.—El dedo primero y más grueso de la mano o del pie.
Pulsaciones.—Latido de una arteria, pulso.

Quejabas.—Lamentabas, llorabas, protestabas.
Quieto.—Parado, inmóvil, sin movimiento.
Quité.—Tomé una cosa ajena, me llevé algo que no me pertenecía.

Racimos.—Cantidad de uvas sostenidas a un tallo.
Rápido.—Deprisa, con gran rapidez, rápidamente.
Raptó.—De raptar. Sacar a una persona violentamente de su casa, secuestrar.
Rato.—Espacio de tiempo de corta duración.
Razonable.—Arreglado, justo, conforme a la razón.
Rebelarse.—Ponerse en contra de alguien, atacar, sublevarse.
Recibo.—Documento escrito y firmado en el que se dice haber recibido dinero u otra cosa; resguardo.
Recoger.—Proteger, ayudar, amparar.
Recompensa.—Premio por haber hecho algo, pagar un servicio.
Reconocí.—Descubrí a alguien, distinguí, identifiqué, vi.
Reconoció.—Se declaró culpable, admitió como cierto, declaró, confesó.
Recorrí.—Ir de un lugar a otro, andar, transitar.
Recuperé.—Ponerse bueno, volver a tener salud, volver en sí, volver de un desmayo, recuperar el conocimiento.
Redes.—Tejido de malla que sirve para pescar.
Refrán.—Proverbio, frase hecha.
Regalo.—Cosa que se da de forma gratuita, en prueba de afecto o amistad.
Regañaba.—Llamaba la atención por algo mal hecho, censurar.
Registraron.—Buscaron por todas partes, examinaron con atención con el fin de hallar lo que buscaban.
Relatos.—Historias que se cuentan, narraciones, cuentos.
Remedio.—Solución, cualquier cosa que sirva para reparar un daño, medicina.
Repente (De).—De forma inesperada, sin saber cómo, sin pensar, sin preparación.
Reservado.—Silencioso, discreto, callado, poco hablador.
Resignarse.—Conformarse, someterse, entregarse a la voluntad de otra persona, condescender, aceptar.
Resistir.—Soportar, aguantar, no ceder.
Respuesta.—Contestación a una pregunta.
Respetable.—Digno, noble, que inspira respeto.
Resto (El).—Lo que queda de algo, después de suprimir alguna parte de algo, el final.

Reunir.—Juntar, unir en el mismo sitio, amontonar.

Rezar.—Orar, leer o decir las oraciones usadas y aprobadas por la Iglesia.

Rico.—De mucho dinero, con lujo; alimento de sabor muy agradable.

Rincón.—Sitio apartado, pequeño.

Rizo.—Mechón de pelo ensortijado o rizado.

Roc.—Ave fantástica, imaginaria.

Rostro.—Cara de las personas.

Rubíes.—Piedras preciosas, transparentes, de color rojo.

Ruido.—Sonido más o menos fuerte.

Sabe.—Conoce, está informado, instruido.

Sabios.—Personas con mucha cultura, sabiduría, conocimientos.

Sacos.—Bolsas, recipientes de papel, tela y abiertos por un lado para poder meter cosas.

Sacrificios.—Trabajos muy duros y penosos, pasar muchas desgracias, penas, abnegación.

Salga (el Sol).—Amanecer, hacerse de día.

Salón.—Habitación grande, la mejor de la casa, destinada a recibir a las visitas.

Salvado.—Libre de peligro o riesgo, en lugar seguro.

Salud.—Que no tiene ninguna enfermedad, ninguna anormalidad.

Sangre.—Líquido que circula por los vasos sanguíneos de las personas y animales, de color rojo.

Sastre.—Persona que se dedica a la confección de trajes.

Seca.—Sin humedad, sin nada de agua.

Secreto (En).—Que está oculto, que no se sabe, que no se dice.

Sencillez.—Sencillo, natural, ingenuo, fácil, que no es complicado, simple.

Señales.—Marcas que se ponen en las cosas para diferenciarlas del resto.

Señalarla.—Marcarla, hacer una herida que deje cicatriz.

Señaló.—Prefirió, eligió, escogió.

Serpiente.—Reptil, en general de gran tamaño.

Sésamo.—Planta. En los cuentos de *Las Mil y Una Noches* está usada como palabra mágica, como una clave.

Severidad.—Seriedad, que cumple las leyes con rigor, con toda dureza.

Sexo.—Condición orgánica que diferencia al macho de la hembra, al hombre de la mujer.

Siglo.—Cien años.

Silbidos.—Hacer un sonido agudo producido por el aire, con la boca o con un instrumento.

Silenciosamente.—Sin hacer ruido, sin hablar, en silencio, calladamente.

Silla de montar.—Para montar a caballo con más comodidad.

Siquiera.—Por lo menos.

Sitio.—Lugar, espacio que puede ocuparse.

Sobrino.—Hijo del hermano o hermana.

Soltó.—Desató, dejó en libertad, liberó.

Solución.—Arreglo, remedio, solucionar algún problema.

Sombra.—Oscuridad que produce un cuerpo al proyectarse sobre otro, como la sombra que da un árbol con sus ramas.

Sorprendido.—Desprevenido, descubierto por otra persona.

Sorpresa.—Algo que no se esperaba, asombro.

Sospechar.—Recelar, desconfiar, dudar, pensar que algo no es verdad.

Suegro.—Padre de la mujer o el marido.

Suerte (Mala o buena).—Destino, casualidad, sucesos.

Sujetarán.—Inmovilizarán, dejarán sin movimiento.

Supersticiones.—Creer en cosas sobrenaturales, temor o miedo a sucesos normales pensando que son avisos de que algo malo o terrible va a suceder.

Tallo.—Órgano de las plantas en sentido opuesto a la raíz y que sirve para sujetar las hojas, flores y frutos.

Tamaño.—Volumen, magnitud de una cosa.

Tan (adverbio de comparación).—Igual, tanto.

Tapada.—Cubierta, encubierta, disimulada.

Tardanza.—Retraso, que tarda, detención.

Taza.—Recipiente, vasija pequeña con asas que sirve para beber.

Temblar.—Tiritar, estremecerse, palpitar, moverse.

Temprano.—Pronto, en las primeras horas de la mañana.

Testamento.—Documento donde se dispone para qué persona van a ser los bienes que posee alguien después de su muerte.

Testigos.—Personas que aseguran algo por haber estado presentes, que declaran por haberlo visto.

Tigris.—Río de Asia que nace en los montes de Armenia y pasa por Bagdad.

Tío.—Hermano del padre o la madre.

Títulos.—Cuando se termina una carrera, estudios o profesión, el título da derecho a ejercer esta profesión. Persona que tiene dignidades nobiliarias, aristócrata. Documentos de propiedades o deudas.

Tolerancia.—Indulgencia, respeto por la manera de pensar y de vivir de las demás personas.

Tormenta.—Tempestad, lluvia acompañada de frío y viento, borrasca.

Tranquilo.—Sosegado, pacífico, sin agitación, quieto.

Trapo.—Pedazo de tela roto y sin valor.

Traslado.—Cambio de sitio, a un lugar distinto.

Trigo.—Planta de cuyo grano se saca la harina para hacer el pan.

Trompa.—Parte muscular alargada y hueca de la nariz de los elefantes.

Tronco.—Parte fuerte y maciza de los árboles y arbustos.

Tropezó.—Cayó, tropezar con los pies en algo que estorba.

Tumba.—Sepulcro, sepultura.

Túnica.—Vestido amplio y largo.

Turbante.—Tela larga, enrollada en la cabeza, que usan los orientales.

Único.—Uno, solo en su especie.

Unión.—Asociación de diferentes cosas, casamiento.

Urgente.—Que no puede ir con retraso, que corre prisa, que tiene que hacerse con rapidez.

Utilidad.—Que sirve, provecho que se saca de una persona o cosa.

Valor.—Precio, lo que vale una persona o cosa, osadía, atrevimiento.

Valle.—Espacio que queda entre dos montañas, cuenca de un río.

Vara (De fresno).—Rama delgada muy flexible del árbol del fresno, muy resistente.

Varias.—Más de una, un grupo.

Varón.—Hombre, de sexo masculino.

Vaso.—Vasija que sirve para beber, generalmente de cristal.

Vecino.—Persona que vive en el mismo edificio o cerca.

Velo.—Trozo de tul o gasa, tejido muy ligero con el que las mujeres se tapan la cara o la cabeza.

Vendedores.—Personas que venden mercancías.

Vengamos.—Daño que se hace a una persona como castigo o reparación a una ofensa.

Vergüenza.—Sentimiento por haber cometido un acto feo o malo.

Verdadero.—Que contiene la verdad, cierto, comprobado, justo, sincero, verídico.

Verdugo.—Persona que trabaja con la justicia y es el que ejecuta las penas de muerte de los delincuentes.

Versiones.—Traducciones, modo de contar una cosa que ya está contada.

Vicios.—Costumbres, hacer cosas malas, libertinajes.

Vientre.—Cavidad del cuerpo donde están los intestinos.

Violento.—Furioso, iracundo, apasionado, colérico.

Virtuoso.—Bueno, bondadoso, que tiene virtud.

Viuda.—Persona a quien se le ha muerto el marido.
Voluntad de Dios.—Lo que Dios manda, aceptarlo por venir de
Dios.
Vueltas.—Girar sobre sí mismo.

Yegua.—Hembra del caballo.
Yerno.—Marido de la hija.

Zumo.—Líquido que se saca de las hierbas, flores o frutas.
Zapatero.—Persona que hace o vende zapatos.

EJERCICIOS DE COMPRENSIÓN

1.—¿Por qué quería matar a todas las mujeres el rey Chariar?

2.—¿Qué hizo Scherezade, la hija del ministro, para que no le cortaran la cabeza al día siguiente de casarse con el rey?

3.—En el cuento de la «Historia del manco», ¿por qué le cortan la mano derecha al protagonista?

4.—En el cuento «Historia del joven cojo», ¿por qué se cae por la escalera en casa del Gobernador?
¿A quién va a ver el joven a casa del Gobernador?
¿Por qué manda el barbero que vayan los criados del joven a defenderle a casa del Gobernador?

5.—En el cuento «Historia del barbero», ¿por qué le llevan prisionero con otros diez hombres que son ladrones?

6.—En el cuento de «Alí Babá y los cuarenta ladrones», ¿cómo encuentran los ladrones la casa de Casín?, ¿qué señal ponen en la puerta?, ¿con qué pretexto entran los ladrones en casa de Alí Babá?

7.—Al final, ¿por qué perdona la vida a Scherezade el rey Chariar?

ÍNDICE